D0526184

Des erreurs monumentales

roman-source

La réalisation de cet ouvrage a été rendue possible grâce à des subventions du ministère de la Culture et des Communications du Québec et du Conseil des Arts du Canada.

Mise en pages : Constance Havard
Maquette de la couverture : Raymond Martin
Illustration : Paul Klee, *Avec deux dromadaires et un âne*

Distribution : **Canada**   **Europe francophone**
Diffusion Prologue   La Librairie du Québec
1650, boul. Louis-Bertrand   30, rue Gay-Lussac
Boisbriand (Québec)   75005 Paris
J7E 4H4   France
Tél. : (514) 434-0306   Tél. : (514) 43 54 49 02
Téléc. : (514) 434-2627   Téléc. : (514) 43 54 39 15

Dépôt légal : B.N.Q. et B.N.C., 1er trimestre 1997
ISBN : 2-89031-255-0
Imprimé au Canada

Denise Neveu

Des erreurs
monumentales

roman-source

Triptyque

À mon amie Denise Noël

LE TOURNANT DE MES CINQ ANS

Une fée des étoiles inconsistante

Ma mère n'a jamais aimé jouer à la mère. Même durant cette période de leur vie où, pour séduire leur père, les petites filles s'imaginent qu'elles doivent imiter servilement leur mère, la mienne n'a jamais servi de semonces à ses poupées, ni de biscuits à l'heure du goûter.

Toute jeune cependant, elle accusait un penchant notoire pour les déguisements et une profonde aversion pour les allures ordinaires, jusqu'à vouloir troquer son voile et sa robe de première communiante contre un chapeau et un costume de sorcière.

Rares sont les ménagères qui excellent dans les apparitions spectaculaires ponctuées de déclarations sans queue ni tête. Là où la plupart des femmes de sa génération ont échoué, ma mère a brillamment réussi.

À chaque mi-novembre de mon enfance, par exemple, elle se déguisait en fée – longue robe de satin, diadème perlé, fin bâtonnet garni d'une étoile brillante – pour me faire avaler, sous le couvert des circonstances, que le pouvoir décisionnel relevait du père Noël dont elle n'était que l'humble exécutante.

Depuis que j'étais haut comme trois pommes, je tenais tout pour acquis – l'amour, le rêve, la folie. Ma fée s'aventurait donc toujours en terrain conquis avec moi. Mais lorsqu'elle est apparue au pied de mon lit, en ce novembre de mes cinq ans, je n'y ai pas cru pour deux sous. Ses lèvres bougeaient à peine, ses joues avaient autant de tonus que celles d'une momie égyptienne, les perles tombaient une à une de son diadème, son ceinturon doré était tout raboudiné, sa baguette manquait d'aplomb, son étoile ne tenait plus qu'à un fil...

N'importe quel enfant gâté aurait pleurniché ou tapé du pied. Je ne sais quelle mouche m'a piqué, mais je me suis mis à chatouiller ma mère, de tous bords, tous côtés. Mes techniques de réanimation n'ont pas produit l'effet escompté. Je me suis magistralement planté. De ses yeux aussi froncés que notre rideau de salle à manger, ma mère m'a avisé que de tels attouchements étaient passibles des plus sévères condamnations.

Sur le seuil de ma chambre, mon père observait la désopilante scène entre un gamin de bonne volonté et une fée aussi indisposée que pendant certains jours du calendrier. Mon père ne présentait aucun signe extérieur d'affaissement – de vraies épaules de Campeau! –, mais tout commençait à lui peser...

Six ans auparavant, la romance entre mes parents avait pourtant si bien commencé! Tous deux prenaient l'apéritif dans un bar achalandé de Trois-Rivières lorsqu'une baguette magique avait frappé le sommet de leur crâne au même quart de seconde, déchaînant, à leur insu, les hormones de l'engouement. Le printemps suivant, ils emménageaient ensemble dans un logement du nord de Montréal, sur une rue bordée de peu d'érables. Dire qu'ils avaient passé auparavant vingt ans entre les grands arbres de leur ville natale sans se parler, sans se toucher, sans même se concerter pour établir un budget!

Au début de leur concubinage, mes jeunes parents faisaient l'amour plus souvent que le ménage, en prenant tout leur temps, comme deux tortues qui se dépouillent mutuellement de leur carapace. Un soir de chaleur excessive et de lenteur particulière, ma mère en a oublié son anticonceptionnel. Cette peccadille dans la vie d'un reptile a pris des proportions monstres dans la leur lorsque les tests de grossesse ont été qualifiés de positifs par le laboratoire pharmaceutique. Mon père était fou de joie et ma mère, au désespoir.

Cette absence d'anovulants m'a fourni le prétexte rêvé pour descendre sur terre. Mes conceptions de la vie intra-utérine relevaient du plus pur romantisme, mais la dure réalité m'a vite rattrapé. Dès les premiers instants de mon état embryonnaire, j'ai eu le sentiment de tomber sur les nerfs de ma mère qui ne prisait pas plus les bébés dans son ventre que les poupées de guenille dans sa chambre de petite fille. Personne ne m'avait prévenu contre l'éventualité d'être un enfant non voulu. Ce n'est pas parce qu'on lui met un paquet de chair autour des os qu'un esprit est prêt à s'incarner. Si je n'ai pas tout laissé tomber, c'est seulement pour ne pas décevoir mon père qui m'attendait, lui, les bras grands ouverts.

J'ai interrompu nos cours prénataux au huitième mois de cette guérilla interne et actionné, de façon unilatérale, le mécanisme de l'accouchement. Cette décision quelque peu emportée m'a valu de naître en pleine inconscience avec le secours de fortes drogues médicales et la fausse complicité de cette femme dont j'avais eu tout le loisir d'imaginer la rencontre fatale. Ma mère m'aura conçu dans un *high* inimaginable et enfanté dans un immense *down*.

Une légère discorde est survenue entre mes parents le jour même de mon arrivée sur la rue des érables. Mon père tenait mordicus à m'appeler Samuel tandis que ma mère voulait à tout prix m'affubler d'un prénom farfelu. Je suis reconnaissant envers mon père d'avoir su contrer ses propositions qui m'auraient stigmatisé à tout jamais sur le plan social. Mais le jour où ma mère m'a appelé Samu, j'ai cru qu'elle enfonçait un petit caillou dans mes oreilles pointues... Ce diminutif devait toujours me rester. En amputant de ses ailes le prénom pour lequel son mari s'était farouchement battu, ma mère pliait l'échine tout en lui tenant tête...

On m'aurait baptisé Abracadabra que cela n'aurait rien changé au fait que j'étais exténué. Je dormais jour et nuit pour récupérer. Dieu sait ce qu'il faut d'énergie pour téter. Dès qu'ils sont aptes à participer aux sondages, les ex-nourrissons sont unanimes: pour survivre au sprint initial, il faut une volonté de fer. Rien n'est plus comme avant. Désormais, il y a le froid et le chaud, le haut et le bas, le pipi et le caca, le derrière et le devant, le père quand ce n'est pas la grand-mère, les règlements, les sentiments, les horaires...

À cause de ces données contradictoires, certains nouveaux arrivés ratent leur examen d'entrée. Plutôt que de faire face à la musique, le fils de la grande amie de ma mère a plié bagage après quelques mois de borborygmes et de salissage éhonté. Que la vie est mal faite! Une femme de la trempe de ma mère se serait rapidement remise de cette perte alors qu'Isabelle demeurait inconsolable de la mort de son fils unique. Tout code pénal qui se respecte devrait sévir contre ces effarouchés de bébés qui quittent notre planète sans même nous laisser d'adresse.

Pourquoi diable m'étais-je faufilé, moi, dans les entrailles d'une mère non consentante, de surcroît trop lâche pour subir un avortement? Pourquoi ne pas avoir tenté de convaincre mon père: bah! je reviendrai une autre année, les occasions ne manqueront pas et la prochaine fois, qui sait, à la faveur d'une nouvelle technologie... Au bout du compte, je me félicite de ne pas avoir déserté ce monde où, malgré les énormités, abondent les compensations. Je n'aurais pas voulu pour tout l'or du monde déguerpir avant mon premier Noël, comme le garçon manqué d'Isabelle.

Affaibli par le décalage horaire et tout et tout, je n'avais pas encore la force musculaire pour dénouer les rubans et déchirer les papiers multicolores qui recouvraient mes hochets. Mes parents ont décidé d'agir par procuration. Après m'avoir ficelé comme un saucisson sur le divan, ils ont commencé à tirer ensemble sur mes rubans avec leurs dents, tirer, tirer, et rire tellement qu'ils ont fini par rouler sur le tapis du salon, nus et brûlants. C'était imprudent avec le sapin tout à côté!

Est-ce à cause du danger imminent, cette scène s'est imprimée en lettres de feu dans chacune de mes cellules qui, je le suppose, ne demandaient pas mieux.

J'ai su, cette nuit-là, que mes parents quitteraient un jour le nord de Montréal et que, pour voir ma mère, je devrais marcher de la rue Resther à la rue Boyer, main dans la main avec mon père.

J'ai su qu'après ces guili-guili sur le tapis, ça branlerait dans les bambous, ça gazouillerait dans les champs, ça gémirait pour des motifs drôlement moins amusants...

Par-dessus tout, j'ai su – ne me demandez pas comment – que j'étais un enfant omniscient. Je me suis juré de toujours le cacher à mes parents dont je percevais nettement la différence de constitution mentale.

Cinq ans plus tard, je me sentais encore lié par cette promesse de prématuré. Je n'ai donc pas lancé tout de go à mon père: «Désolé, papa, tout va bientôt s'écrouler...» Pas plus que je n'ai fait de révélations fracassantes à ma mère, aussi moche qu'inconsistante dans sa tenue de circonstance.

Je me suis contenté d'énumérer, par ordre de préférence, les cadeaux que le père Noël avait tout intérêt à livrer à sa représentante locale s'il ne voulait pas perdre l'un de ses fans: beaucoup, beaucoup, beaucoup de peinture à l'eau, une longue, longue, longue fusée, un camion de pompiers, un beau bicycle à deux roues et le microsillon de *Pierre et le Loup*.

Sans bouger ses lèvres momifiées, ma mère a tracé ma commande dans les airs avec la branche la plus acérée de son étoile chambranlante puis s'est retirée sur la pointe des pieds.

Dans sa peau de fée ou sa nudité de femme, mon père la trouvait de moins en moins convaincante. Ce matin-là, au petit-déjeuner, je l'ai vu engloutir une triple portion d'œufs-saucisses-jambon. Je n'ai pas mis des lunes à comprendre. Chez ce genre de mammifères évolués, chaque désillusion appelle une bouchée de tout et de rien, chaque parenthèse s'ouvre et se referme sur une obsédante tranche de pain.

Un père Noël impuissant

Comme tous les 24 décembre, en digne conjoint de sa femme dont il n'épousait pourtant aucune des extravagances, mon père a sorti des boules à mites son ventre artificiel, sa barbe postiche et son habit de père Noël.

Sur l'heure du midi, Isabelle est passée chez nous en coup de vent, les bras chargés de cadeaux pour moi, d'année en année, de plus en plus gros, de plus en plus nombreux. La générosité croissante de cette étrangère irritait mon père au plus haut point. Il soupçonnait cette femme d'effectuer un détournement affectif sur moi depuis que son fils naturel lui avait fait faux bond. Sans faire un esclandre, il s'en est ouvert à ma mère dès qu'Isabelle eut tourné les talons.

La cinglante riposte de ma mère n'a pas tardé. Moi aussi j'aurais pris la défense de ma meilleure amie si quelqu'un avait douté de son intégrité. Mais je l'aurais fait avec moins d'arrogance, il me semble. En s'appuyant sur les grands prophètes de l'Orient – dont Khalil Gibran –, ma mère a décrété d'une voix stridente que je n'étais pas la propriété exclusive de mes parents, leur toutou, leur hochet, leur soldat de plomb, que j'appartenais à l'univers infini dont, jusqu'à nouvel ordre, Isabelle faisait intrinsèquement partie. Ce n'est pas donné à tous les grands garçons d'apprendre, de la bouche même de leur mère, qu'ils sont les enfants chéris du cosmos incommensurable!

Cette déclaration à l'emporte-pièce, qui m'a réjoui le cœur, a heurté les vues matérialistes de mon père qui s'est aussitôt enfermé à double tour dans sa chambre, résolu à m'annoncer le soir venu que le bonhomme légendaire était trop fourbu pour descendre dans notre cheminée cette année ou que ses rennes avaient été grièvement blessés en dévalant une pente abrupte et verglacée.

Si j'excepte leur mésentente relativement au choix de mon prénom, je vivais depuis quelques mois en compagnie de mes parents lorsqu'a éclaté leur première véritable chamaille, au moment où les corps rassasiés se contentent de roter, au dessert précisément. En un éclair, mes père et mère se sont métamorphosés en glaciers avec pics, arêtes, crevasses, précipices et traîtres abris temporaires. Je n'avais jamais vu ça!

J'ai eu peur soudain que tout dégringole, la vaisselle, les casseroles, que notre plafond s'effondre sur le plancher et que notre plancher écrase les voisins d'en bas. J'ai hurlé à pleins poumons pour distraire l'un ou l'autre des deux enragés. Ma mère n'a pas saisi la noblesse de mes intentions et s'est emportée de manière incontrôlée contre ce paquet de chiffons qui brimait déjà son entière liberté d'expression.

Mon manque d'autonomie psychomotrice m'a empêché de prendre mes jambes à mon cou pour fuir l'incommodante situation. Heureusement que j'étais pourvu d'imagination! La tête lourdement inclinée sur le dossier de ma chaise haute, mes petits poings fermés comme des huîtres, j'ai simulé la phase paradoxale du sommeil, poussant la vraisemblance jusqu'à émettre, en alternance, d'affreux et doux ronflements. J'ai pu ainsi éviter le gros de la tempête tout en ne manquant rien de l'accalmie qui a suivi. Avec un doigté digne d'un Houdini, mon père a repéré une nouvelle zone érogène chez sa femme, ce qui eut pour effet instantané de les envoyer tous deux au tapis. C'est là qu'ils ont fait la paix. Deux fois plutôt qu'une. Chaque fois que ma mère atteignait le sommet de la jouissance, mon père donnait l'impression de dégringoler l'Himalaya sur les fesses, d'un coup sec.

J'en ai déduit, à tort ou à raison, que toute confrontation serrée entre mâle et femelle pouvait servir de préliminaire sexuel. Dès lors, je n'ai plus jamais craint pour la survie de nos voisins du dessous. J'attendais que la paix revienne. Et la paix revenait toujours.

Après l'incartade survenue entre mes parents à propos des largesses démesurées d'Isabelle à mon égard, je suis sorti en trombe de la maison pour aller fomenter une bataille de balles de neige avec mes copains des alentours. Une vraie guerre de fortifications! Pas une tornade de salon!

À cet âge, je disposais des meilleures armes qui soient pour triompher des vicissitudes de la vie. Je disais au mur: «Va-t'en!» et le mur partait sur-le-champ, aussi loin et aussi longtemps que je le désirais. J'avais beau être innocent, je savais bien que les murs ne seraient pas éternellement soumis et que je me retrouverais un jour gros-Jean comme devant, avec une femme et un enfant sur les bras. Malgré cette sombre perspective, je me suis amusé comme un fou entre les érables méconnaissables durant la saison froide jusqu'à ce qu'il fasse plus noir dehors qu'au fin fond d'un placard.

Jamais je n'oublierai ce souper qui devait couronner ma rentrée. Mon père n'ayant pas pris l'air de la journée, son visage accusait la pâleur de son potage et ma mère avait les mâchoires aussi contractées que si elle était en train d'accoucher d'un deuxième rejeton. Je n'osais pas lever le nez de mon assiette. Au moins s'il y avait eu des mouches au plafond, j'aurais pu les dénombrer. Je n'étais pas porté à enfreindre l'heure du coucher, mais ce climat de tension m'a incité à la devancer.

J'ai bien fait de me retirer plus tôt! Sur le coup de minuit, tout à fait remis du malaise qui avait failli l'immobiliser, mon père m'a tiré du lit et fait grimper sur sa fausse bedaine pour me chanter sa vieille rengaine: «Puisque tu as été sage comme une image, mon petit, ha! ha! ha! voilà ton camion de pompiers, ta longue, longue, longue fusée, ton microsillon de *Pierre et le Loup*, ho! ho! ho! voilà surtout ton beau bicycle à deux roues!»

De deux choses l'une: ou tous les pères Noël sont durs d'oreille ou certaines de leurs assistantes censurent délibérément nos commandes. Pas une seule goutte de peinture à l'eau! Comment aurais-je pu retenir mes sanglots?

Ornée de boucles d'oreille qui n'auraient pas déparé notre sapin, ma mère a profité de ma vulnérabilité pour m'assener coup sur coup deux ou trois vérités dont je ne pouvais évaluer le bien-fondé: les désirs des enfants ne sont ni des ordres ni des commandements, les principaux éléments qui infléchissent les décisions de leurs parents échappent à leur entendement, cette génération de repus ne produit que des ingrats...

Rendues à bout de souffle, les mères devraient s'arrêter de crier. La mienne a continué de m'enguirlander de plus belle, jusqu'à en devenir cramoisie. De son point de vue, j'aurais dû sauter au plafond avec ma fusée au lieu d'insister sur la seule étrenne manquante. Elle qui avait accompli ses devoirs jusqu'au bout, presque à la perfection, malgré son extrême fatigue nerveuse... Elle regrettait amèrement de ne pas m'avoir m'acheté un petit rien tout nu enveloppé dans le papier journal du jour où j'étais né, non, tiens, dans celui tout jauni du soir où elle avait oublié de prendre son contraceptif oral... Entendre la seule femme dont vous ayez partagé les entrailles vous adresser une telle harangue est chose difficile à prendre. Mais je n'étais pas rancunier. Aussitôt dit, aussitôt pardonné.

Mon père Noël ne manifestait pas une semblable magnanimité. Un peu plus et il expédiait illico presto son bras droit au pôle Nord. Congé de maternité illimité! Hélas! L'opération de transport était archicoûteuse et les procédures trop compliquées pour le simple infirmier qu'il était. Plus impuissant qu'un petit Jésus de carton-pâte, il s'est empiffré de chocolat aux noix avant de s'allonger pour la nuit, seul, sur le divan du salon. Chansons et cantiques radiophoniques creusaient en lui un fleuve de mélancolie. Si les anges avaient déjà «hosanné» dans sa campagne, il ne les entendait plus...

En exécutant mon premier circuit sur deux roues jusqu'à mes quartiers d'enfant repu, j'ai entrevu ma mère étendue sur son lit. Trop éreintée pour enlever ses vêtements, aussi raide que la pente sur laquelle des rennes auraient pu déraper, elle semblait couchée dans son cercueil – à la différence que les morts ont fini de serrer les dents et d'en vouloir au monde entier.

J'ai longtemps porté les séquelles de cette traumatisante nuit de Noël. En plus d'être privé du cadeau que je désirais le plus, j'ai vu de mes yeux vu que la méthode de réconciliation dont mes parents avaient systématiquement usé lors de leurs affrontements antérieurs était devenue inopérante.

Une trêve inespérée

L'autobus Voyageur qui nous menait à Trois-Rivières était bondé de fils à papa et de filles à maman désireux de célébrer l'arrivée tapageuse des années 80.

Nous disposions à nous trois d'une banquette à deux places. J'ai donc pris place sur les genoux de mon père. À nos côtés, immobile comme une statue, muette comme une tombe, ma mère s'adonnait à sa méditation transcendantale. Ses rêvasseries l'entraînaient à des kilomètres de son fils et de son mari, les balayaient de son champ de vision, les chassaient de son territoire mental. Durant ses pérégrinations, ma mère n'empruntait plus le même véhicule que nous. Elle circulait en bolide supersonique, un siècle plus tard, quelque part dans les Maritimes. L'exercice était parfaitement futile – dans cent ans, les provinces de l'Est auront peut-être subi le sort de l'Atlantide. Mais nous échappions, pour un temps, à son humeur massacrante.

J'étais impatient de revoir ma parenté, contrairement à mon père que toute obligation familiale ou sociale rebutait. Enfant, il feuilletait livre par-dessus livre dans son coin au lieu d'applaudir l'équipe paroissiale de balle-molle. Il se barricadait dans sa chambre le dimanche pendant que ses copains construisaient des forts sur le trottoir. Alors que tous les hommes de sa famille étaient des vendeurs-nés, il était aussi à son aise derrière un comptoir qu'un Africain en terre de Baffin.

Cet homme était si réservé qu'avant de venir au monde, il avait employé tous les moyens à sa disposition pour rejoindre dans les limbes la multitude de fœtus hébétés. Il avait peur de déranger! Ses incessantes menaces de fausse couche ont tenu ma grand-mère alitée pendant la moitié de sa grossesse, de sorte que mon grand-père a dû embaucher une domestique pour prendre la relève. Son fils cadet ne s'était pas encore montré le bout du nez qu'il lui grevait déjà son budget! L'arrivée de mon père n'a pas été une bonne affaire pour un commerçant. Sa vie durant, il jouira d'autant plus des faveurs de sa mère qu'il subira la hargne larvée de mon grand-père. Sans être le paradis sur terre, c'est mieux que les limbes, à ce que l'on dit.

J'étais enchanté de revoir mes grands-parents. C'était le bon temps! Ma grand-mère n'avait pas été emportée par une embolie pulmonaire et le cerveau de mon grand-père ne s'était pas encore ramolli comme une guimauve dans un chocolat chaud. Nos retrouvailles auraient pu être émouvantes si ma grand-mère ne nous avait pas aussitôt reproché nos rares visites au pays de nos ancêtres et si mon grand-père n'avait pas marmonné entre les dents: «Trois-Rivières, c'est quand même pas Tombouctou!» Pourquoi aiguiser notre culpabilité? À sa place, tant qu'à établir un constat, je l'aurais fait à l'amiable.

Pour se faire pardonner son ingérence dans notre vie privée, ma grand-mère m'a ensuite donné une trâlée de becs en pincettes, sucrés par-dessus le marché. Les personnes âgées n'ont aucune suite dans les idées. Elles vous lancent une platitude à la figure, se tournent de bord, et vous caressent le visage.

Mon grand-père espérait sans doute se racheter de ses insanités en claironnant que j'étais le portrait de mon père tout craché. Venant de lui, j'ignorais si c'était une tare ou un compliment. Mais lorsqu'il m'a hissé sur ses épaules et promené dans toutes les pièces de la maison, son ego de Campeau s'est gonflé comme une montgolfière. Chez ce genre de primates, l'orgueil de la lignée l'emporte sur toute autre considération.

Je n'ai jamais ressenti, pour ma part, cette exaltation de mâles et le fait d'être exhibé comme un trophée m'a précipité au bord de l'exaspération. Plutôt rond et rouquin, j'aurais évidemment été mal venu de nier mon ascendance paternelle mais, à les entendre parler, mon père se serait autoreproduit, leur bru aurait joué un rôle de second plan dans l'affaire, comparable à celui d'une assistante dentaire. La robe de maternité que ma mère portait le jour de ses noces – au décolleté si plongeant que l'officiant aurait pu déposer l'hostie dans son nombril – n'était pourtant pas un habit de camouflage!

Chez mes grands-parents, la bonne humeur était aussi contagieuse que les microbes à la maternelle. On jouait aux cartes, au parchési, au bingo. On discutait, on politicaillait. On entonnait *Frère Jacques* en canon, *O sole mio* en solo, *Only You* en anglais. On dansait un slow, un rock, une cha-cha-cha, on piquait une polka, on s'affalait sur le fauteuil en disant: «J'en peux plus, le cœur me débat, on vieillit, ça paraît pas, la jeunesse nous pousse dans le dos...»

Comme à l'accoutumée, il y en avait pour tous les goûts sur la grande table du réveillon, assez pour nourrir les hauts et les bas gradés d'une armée au faîte de la victoire: dinde farcie, ragoût, tourtières et cretons maison, petits fours, gâteau aux fruits, tartes au sucre, aux raisins, au citron...

Ma mère dansait, chantait, et mon père prenait un verre. La fée revêche était loin derrière. Et l'impuissant de père Noël donc! Je me disais en moi-même: décidément un Jour de l'an comme dans le bon vieux temps ne fait de tort à personne – et trois jours d'affilée sans nouvelles d'Isabelle.

Tout juste avant d'atteindre le stade irrémédiable du Bromo, mes parents m'ont avisé que j'en étais à mon dernier Cream Soda. Rendus dans la chambre du haut tapissée de vieilleries, ils m'ont enfilé mon pyjama tout nouveau tout beau en faisant les fous comme la fois où nous avions pris notre bain ensemble, rue des érables, dans la mousse jusqu'au cou, en nous donnant des becs mouillés tout partout...

On rigolait tellement tous les trois que je ne voyais plus du tout la nécessité de quitter un jour ma mère pour demeurer avec mon père. J'avais dû rêver, moi, lors de mon premier Noël ici-bas, ligoté sur le sofa. J'avais dû délirer, divaguer, mal interpréter les images qui défilaient pêle-mêle dans ma petite tête d'écervelé... Une résidence secondaire sur la rue Boyer, voyons donc, ça n'arriverait certainement pas. Rien ni personne ne pourrait diviser notre trio. On s'amusait bien trop!

Ces câlineries auraient duré jusqu'au petit matin si, d'instinct, mes parents ne s'étaient pas jetés sur le lit voisin dès les premiers signes de mon assoupissement. Je n'ai rien contre les débordements d'affection en fin de réveillon, mais ils auraient dû faire moins de bruit. Les hôtes de la maisonnée avaient le sommeil plutôt léger...

L'autobus du lendemain de veille était rempli à craquer de voyageurs qui se remettaient tant bien que mal de leur première cuvée de la décennie.

Mon père avait la bouche fendue jusqu'aux oreilles. La nouvelle année lui promettait monts et merveilles! Cet optimisme forcené ne reposait pas sur une enquête réalisée auprès de couples dans la vingtaine de souche trifluvienne. Il découlait de son excellente performance sexuelle de la nuit précédente. Maintenir une famille sur des bases aussi fragiles! Mais si l'espoir parvient à faire se dresser tout un peuple, il serait insensé de ne pas lui concéder le pouvoir de faire bander un individu.

Je savourais cette trêve inespérée entre mes parents tout en sachant qu'elle ne pèserait pas lourd dans la balance. Car loin d'être guérie de sa morosité congénitale, ma mère vivait une rémission – les méditations ne dévient pas le cours de l'inéluctable. Ces informations provenaient directement de mon petit doigt. Pour la première fois, le caractère morphologique de ma voyance s'imposait à ma conscience.

Une fête des Rois qui tourne au vinaigre

Depuis notre glorieux retour de Trois-Bouctou, notre trio éclatait de santé. Et, pour une fois, mes parents étaient du même avis: nous ne faisions pas assez de sport. Le 5 janvier, ils ont donc convenu d'aller patiner au parc Jarry.

En dépit de leur qualité haut de gamme, j'avais un mal fou à me tenir sur mes nouveaux patins à une lame. À la minute où ils échappent à l'autocensure, tous les mâles le disent: c'est un tour de force pour eux de garder leur équilibre, a fortiori lorsqu'ils évoluent sur la glace vive. Sans les conseils techniques de mon père et son indéfectible support, j'en serais encore à déraper sur la bande.

Impossible de compter sur ma mère pour franchir cette étape initiatique. À l'autre bout de la patinoire lisse comme le miroir d'un grand hall, elle dessinait d'élégantes arabesques lorsqu'un inconnu s'est enfargé dans son long foulard et l'a fait ridiculement tomber en pleine face. Une patineuse de fantaisie meurtrie dans son orgueil, oh là là, ce n'est pas très joli à voir! Ça envoie promener son mari dans les roses bon marché et ce n'est guère plus tendre envers son fils...

J'ai cru que ma vaniteuse de mère ne s'en relèverait jamais à moins que nous lui tendions la main, que nous la fassions valser, valser, valser, s'évanouir de plaisir au lieu de s'effondrer pour une peccadille. Boudant mes techniques d'étourdissement, mon père lui a vertement réglé son compte devant tout le monde. Sa tactique a fait plus de tort que de bien. En plus d'avoir un affreux mal de cheville, sa femme a eu honte.

Quel contraste avec ma toute première balade dans ce parc où c'est moi qui avais poireauté sur un banc, en plein soleil, près des jets de la fontaine, pendant qu'à deux pas de là mes parents se roulaient dans l'herbe comme deux rouleaux de printemps. Malgré une vision périphérique des plus circonscrites, j'épiais leurs ébats au millimètre près. Un moment, ils sont devenus si indistincts l'un de l'autre que je me suis affolé. J'ai cru ne plus jamais pouvoir me réfugier dans les bras de mon père sans me retrouver ipso facto dans les jambes de ma mère. Conclusion aussi hâtive qu'erronée. C'est entre mon père et moi que la symbiose devait peu à peu s'élaborer.

L'altercation sur la patinoire a sonné la fin de notre récréation et rompu notre récente unanimité. Mon père et moi sommes retournés, penauds, à la maison. Ma mère est allée faire des courses avec Isabelle en prévision du festin du lendemain. Neuf femmes sur dix détestent faire l'épicerie avec leur mari. Partout où il y a un carrosse à pousser, les femmes préfèrent être ensemble.

Le 6 janvier, Isabelle est arrivée très tôt chez moi pour cuisiner les deux gâteaux – l'un à la vanille où dissimuler le pois des gars, l'autre au chocolat où cacher la fève des filles –, préparer le goûter, décorer le salon, planifier les jeux et emballer les prix, lesquels, m'a-t-elle promis, sans être exorbitants, vaudraient à eux seuls le déplacement.

Il faut croire que j'en ai été convaincu puisque, des plus jeunes aux plus vieux, mes amis sont venus nombreux. Exclu des préparatifs et de tout le tralala, mon père nous a rejoints à l'heure du souper. Hors-d'œuvre variés, sandwichs au fromage, aux œufs et au pâté ont été expédiés tant nous avions hâte d'attaquer le dessert. Chacun devait porter une attention démesurée à son morceau de gâteau afin que ni le pois ni la fève ne passent tout droit. On n'élit pas un roi et une reine en pratiquant des lavements d'estomac...

Tous mes copains sans exception rêvaient de devenir le souverain d'un soir. Dommage pour eux, mais je sentais que le roi, c'était moi. Ce pressentiment m'a été rapidement confirmé. J'ai croqué le pois sec à ma première bouchée.

Je m'attendais à ce qu'on salue ma découverte par une salve d'applaudissements et un concert de félicitations. Mes invités en ont décidé autrement. Ils m'ont aussitôt accusé d'avoir soudoyé les organisatrices pour hériter du titre le plus convoité. Les filles parlaient de haute trahison et les gars n'avaient plus que le mot «complot» à la bouche. Leurs soupçons pesaient de tout leur poids sur ma conscience qui n'avait pourtant aucune faute à se reprocher. On ne m'accordait ni présomption d'innocence ni possibilité d'autodéfense. Un vrai régime totalitaire! Mon père a tenté d'amadouer mes amis en leur exposant les grandes lignes de la théorie des probabilités: une chance sur dix millions pour que la fameuse légumineuse tombe dans mon assiette. Mais ces ânes ne démordaient pas de la supposition du coup monté. La méprise était totale et c'était abominable de voir ma propre mère ne rien faire d'autre pour me tirer d'embarras que de rire comme une déchaînée. Je n'ai pas cédé au chantage de la majorité. Abdiquer ma couronne aurait porté atteinte à ma dignité. Envers et contre tous, je m'en suis donc coiffé.

Ma fête des Rois tournait au vinaigre. Question d'apaiser le mécontentement général, Isabelle a pris les rênes de la soirée, intronisé une reine de façon arbitraire et convié tous ses sujets au salon pour les jeux de société. Elle ne s'était pas trompée: d'excellence, de présence ou de consolation, ses prix ont comblé mes ennemis.

Avec sa jupe à triple volant aussi bariolée qu'un tableau de Picasso, sa ribambelle de bracelets au poignet et son foulard dont les franges lui retombaient négligemment sur le front, ma mère avait l'air d'une romanichelle de grand chemin. Boule de cristal et bâton de patchouli à l'appui, elle a tenu une séance de bonne aventure, prédisant aux unes une fulgurante carrière de chanteuse populaire, aux autres une victoire assurée aux prochaines joutes de hockey. Ses élucubrations m'amusaient d'autant plus qu'elles étaient irréelles. Je voyais bien, moi, que ma mère ne voyait rien!

Bon joueur, j'ai néanmoins sollicité une consultation bidon. Ma gitane m'a instamment prié de retirer mon diadème pour capter mes vibrations. Pas de danger qu'elle se serait départie de son foulard orange pour réduire les interférences. Le nylon est pourtant un aussi bon conducteur d'électricité que le carton ondulé! Après quelques autres simagrées du genre, voici en substance le message qu'elle m'a livré avec force gesticulations et ton approprié: «Mon petit chou roux, je te cherche partout, mais je ne te trouve nulle part... Curieux, lorsque je pense à toi très fort, un brouillard étrange se lève dans ma boule blanche, un nuage informe, une fumée sans feu, une nébuleuse sans ramifications nerveuses, une masse volatile sans tête, sans jambes et sans bras, un ectoplasme, une amibe, un pou, une larve, une morve, que dis-je, un crachat. Bizarre, mon petit chou roux, dans le futur immédiat, on dirait que tu n'existes pas!»

J'avais déjà vu ma mère perdre les pédales et je n'ai pas reçu ses paroles comme une douche froide — un enfant s'en aperçoit toujours lorsqu'il sert d'exutoire. Mon père, lui, fulminait. Que d'enfantillages! Lui qui poussait civière après civière toute la journée, qui voyait l'angoisse creuser impitoyablement les visages et salir les draps... Avant que le mini-roi ne se prévale de son droit de punir la coupable, mon père s'est retiré dans ses appartements. Je le remercie de ne pas avoir égratigné ma gitane jusqu'au sang en passant.

N'importe quel idiot du village aurait compris que la célébration frisait la scène de ménage. Sans la moindre révérence, tous mes invités m'ont quitté les uns après les autres, qui avec son prix sous le bras, qui avec sa parure royale sur la tête. Isabelle les a suivis du même pas.

Mon père prenait goût au sofa du salon et ma mère accaparait le lit nuptial. Comment expliquer pareilles déviations lorsqu'on ne dispose, malgré un potentiel hallucinant, que d'un bagage de préscolarisé?

Une famille atypique

Le parcours de certaines femmes ressemble à s'y méprendre au jeu de serpents et échelles: elles montent, montent, montent – c'est enivrant! – puis tout juste avant d'arriver au ciel, elles redescendent, parfois même jusqu'à la case départ – décourageant!

Aucune hormone n'étant venue stabiliser le système nerveux de ma mère, ses perturbations ne faisaient que s'aggraver. Sans le secours du lithium qu'elle refusait obstinément de prendre, mon père doutait de sa capacité à rétablir l'équilibre initial de son foyer. Pourquoi diable s'être laissé ensorceler par cette femme dans un bar de Trois-Rivières? Il aurait pu être foudroyé par n'importe quelle autre, sous un pylône de Shawinigan...

Suivant les critères sociologiques, notre famille pouvait être qualifiée d'atypique. Outre deux hommes, elle comptait presque toujours deux femmes en permanence. C'était rendu que ma mère passait plus de temps avec son amie de cœur qu'avec son mari! Je considérais comme un privilège d'avoir, parmi mes proches, une pure étrangère. Mais mon père jugeait anormal qu'un fils de monogame soit polymère.

Cette jalousie possessive, inexistante en Amérique du Nord, ferait des ravages considérables chez les kangourous d'Australie. L'intrusion intempestive d'Isabelle dans notre triangle mettait mon père hors de lui. Comme il était trop doux pour lui défoncer le portrait, chaque fois qu'elle se pointait rue des érables, il tremblait de tous ses membres, subitement en manque d'aliments ou de gadgets compensatoires. Par mimétisme ou solidarité mâle, je ressentais tout à coup les mêmes besoins urgents. J'enfilais mon manteau, mes bottes, ma tuque, mes mitaines, et hop! en route vers le dépanneur du coin.

Qu'on se le dise: outre ses bienfaits aérobiques, la marche rapide constitue un excellent antidote aux accès de violence conjugale. Sans ces bouffées d'air frais, je crois bien que mon père aurait brisé les douze paires de côtes de sa compagne qui n'aurait plus jamais été bousculée sur aucune patinoire, vu qu'elle aurait carrément manqué de souffle pour s'y rendre.

Ces promenades improvisées avec mon père comportaient leurs exigences. C'était tout un exploit de maintenir mon cache-nez dans le bon angle et, compte tenu du peu d'élasticité de mes jambes, de suivre la cadence d'un plus pressé que moi. Le plus ardu cependant était de convaincre mon paternel, à mots couverts, de ne pas se livrer inconsidérément à la dépense. Il laisserait bientôt sa peau de mari au vestiaire du notaire et cela lui coûterait les yeux de la tête. S'il avait fallu que son maigre budget s'envole en pacotilles et qu'il ne lui reste plus assez de sous en banque pour acheter à ma mère une belle robe de divorce... Mais mon père avançait vers ses babioles et ses grignotines, la casquette rabattue sur les oreilles, sourd à mes prémonitions.

Dans ce pays où les dépanneurs poussent plus vite que les champignons, le mois de février fait tout craquer: les érables, les ménages, jusqu'aux petites lèvres qui n'ont encore proféré aucune hérésie ni aucun mensonge. Les amants deviennent frileux et les visionnaires fiévreux, leurs boules de cristal n'étant pas immunisées contre les attaques virales. En février, nul vivant n'est à l'abri des refroidissements, des fêlures, des gerçures. Même les morts claquent des dents, à ce que l'on dit.

J'avais pourtant déjà connu des hivers moins mortifères. Celui de mes deux ans, par exemple, où c'était au tour de ma mère de mettre du beurre sur nos épinards – pour résoudre leurs problèmes de gardiennage, mes parents travaillaient en alternance. Pendant que la fée des malades distribuait sur les étages du grand hôpital les sirops, gélules, comprimés, laxatifs et calmants propres à soulager les plaintes des souffrants, mon père se chargeait de l'entretien de la maison. Chaque après-midi, pour contrer son embonpoint de sédentaire, il quadrillait notre quartier de long en large en me traînant dans une luge.

L'exquise expérience! Personne n'a idée du luxe que cela représente...

Calé au creux des coussins, on n'a pas besoin de freins, de clignotants, de klaxons, inutile de faire le plein, on glisse comme sur un tapis de riche, on rencontre quelques bosses en chemin mais rien de catastrophique, on regarde le paysage de manière panoramique, on lèche les vitrines à sa guise, on reluque les petites filles tant qu'on veut, on trempe ses mitaines dans la neige, on suce ses bonbons de laine... Notre père ne nous voit pas faire, voilà le plus sublime, puisqu'après nous avoir confortablement installé, il nous tourne le dos. Fini ce temps où il épiait la moindre de nos grimaces, le moindre de nos bâillements, surveillait à la loupe les rubans de notre bonnet et les boutons de notre petit habit tricoté par notre grand-mère avec amour et distraction – tant le modèle était simple et susceptible d'être reproduit par le dernier des morons.

Bien entendu, à cinq ans, j'avais trouvé mon centre de gravité et savais me tenir à la verticale comme un chimpanzé. Je n'avais plus besoin de recourir au cerveau-direction de qui que ce soit pour me téléguider. Je ne mangeais même plus de neige en catimini, c'est dire combien j'avais grandi! Après l'euphorisante traîne sauvage, je goûtais maintenant aux joies discrètes de la randonnée pédestre. C'est à pied que j'allais chaque matin à la maternelle et que j'en revenais, en compagnie de ma mère qui se tournait les pouces le restant de la journée.

Ma mère dépérissait dans l'uniformité de la vie courante. Si les accouchements à l'occidentale s'étaient déroulés en plein carnaval plutôt que dans une salle des douleurs, je parie que j'aurais à l'heure actuelle une flopée de frères et sœurs avec lesquels triturer mes souvenirs. Lorsqu'il n'y avait aucune festivité en vue, aucune folie dans l'air, l'âme de ma mère manquait de victuailles. Et une âme à la langue pendante, oh là là, c'est triste à voir... Ça ronge son frein, ça se crispe devant son fils unique, ça en a plein le dos de son conjoint...

Du plus loin que je me souvienne, il n'y avait qu'Isabelle pour remonter le moral de ma mère lorsque celui-ci était au plus bas. Mon père aurait aimé être un petit oiseau pour voir comment elle s'y prenait. La secouait-elle comme une nappe après les repas? Lui appliquait-elle des compresses tièdes sur la nuque après lui avoir tapoché quelques vertèbres? La gavait-elle de pastilles au miel placebos?

Quoi qu'il en soit, tout en étant avare de détails croustillants, mon petit doigt me disait que les deux complices étaient déjà largement engagées sur une pente savonneuse où nous glisserions tous, tôt ou tard, cul par-dessus tête... Je me disais en moi-même: les femmes se fréquentent pour se consoler et se comprendre, pas uniquement pour faire l'épicerie ensemble.

Impossible de vérifier cette hypothèse qui tenait peut-être de l'affabulation. Isabelle n'était pas aussitôt arrivée chez nous que mon père partait à la galopade vers le dépanneur. Je le suivais immanquablement par-derrière malgré ces vents qui nous bourrassaient, cette année-là, plus qu'à l'ordinaire et ces froids de canard qui donnaient à mes joues la couleur alléchante du jell-o aux framboises.

J'ai échappé à ce cirque infernal le soir où j'ai simulé tous les symptômes annonciateurs d'une varicelle: fièvre de cheval, apparition de boutons sur le ventre, langueur, etc. Mon père ne s'est pas rendu compte du subterfuge – tout le monde n'est pas doué de double vue! Fut bien pris qui croyait prendre. Cette tromperie a affaibli mon système immunitaire de sorte que, la semaine suivante, j'ai réellement attrapé la maladie.

Douce punition, s'il en est. J'ai passé le plus clair de ma convalescence à écouter les fabuleuses aventures de *Pierre et le Loup*, au chaud, dans le tablier de mon père-kangourou.

Des Pâques mortelles

Parce qu'il constitue, depuis la nuit des temps, un atout majeur dans le jeu des attraits, ce printemps aurait dû provoquer un renouveau dans notre triangle. Contre toute attente, il lui a plutôt fourni les éléments nécessaires à sa dégénérescence.

Même si je me rangeais ouvertement du côté du plus fort, je ne détestais pas qu'Isabelle chouchoute ma mère et en prenne un soin jaloux – les fées ne sont jamais assez entourées. Au nom de l'affection, je croyais que tout nous était permis. Je n'avais aucun préjugé sur les minorités sexuelles et j'ignorais tout des conséquences désastreuses de l'infidélité. Je n'ai même pas levé le sourcil la première fois qu'Isabelle a dormi dans le même lit que ma mère. Quand un mari travaille la nuit, rien d'étonnant à ce qu'une autre sentinelle le relève... À quoi bon vanter mon ouverture d'esprit puisque je n'ai pas su débusquer l'adversaire tapie sous les traits de cette nouvelle partenaire. Une interrogation commençait cependant à me chatouiller la cervelle: est-ce par peur de mourir seules que les femmes adorent coucher ensemble?

Depuis que j'étais haut comme trois pommes, chacun de mes dimanches de Pâques commençait par la recherche des œufs que mes père et mère s'étaient amusés à cacher la veille. Ce rituel ne me réserverait jamais les surprises qu'il promet aux enfants non voyants, mais j'étais si content de voir mes hétéroparentaux partager un plaisir simultané que j'ai développé, au fil des années, une habileté certaine à tourner autour du pot.

Ce jour de Pâques n'allait pas faire exception à la règle. Faisant fi de mon don de précognition, je me suis à nouveau comporté comme un parfait imbécile, me dirigeant d'entrée de jeu vers les recoins les moins accessibles, tâtant en chemin des tas de coussins, montrant un intérêt disproportionné pour des objets plus qu'anodins, écartant un à un tous les indices, brouillant toutes les pistes.

Comme toujours, mon père était à son affaire, disant «tu gèles!» si je m'éloignais un peu trop des cachettes ou «tu brûles!» si je m'en approchais de près. Mais ma mère n'était visiblement pas dans le coup. Mes explorations débridées à travers la maison ne lui faisaient ni chaud ni froid. Jusqu'à son déguisement de lapine qui laissait à désirer: sa combinaison de peluche était décousue par endroits et ses longues oreilles roses, si fermes autrefois, étaient mollement rabattues de chaque côté de son bonnet de douche recyclé pour l'occasion.

Sans crier gare, ma mère passait allègrement de l'exultation à la crucifixion. Inutile de subventionner une thèse de doctorat pour dépister les causes de sa maniacodépression. Suffit de consulter le calendrier liturgique des catholiques de sa génération. Le Vendredi saint, le voile du temple se déchire de haut en bas, les cieux se fendent en deux; plus nu qu'un ver de terre, le Fils de Dieu rampe jusqu'au Golgotha. Le surlendemain, alléluia! alléluia! Les cloches du monde entier reviennent de Rome, on porte le Ressuscité en triomphe, tapis rouge, pétales de fleurs et tout le tralala... Quarante jours plus tard, c'est l'Ascension, le Sauveur des hommes les abandonne pour de bon...

Ce dimanche de Pâques, j'étais moi-même écartelé entre deux volontés contradictoires. Ou j'alimentais le plaisir de mon père en poursuivant mes recherches à tâtons ou je désamorçais l'indifférence de ma mère en les cessant immédiatement. J'avoue avoir arbitré ce conflit de la façon la plus ignoble. Pour éviter que ma mère ne sorte sa hache de guerre, j'ai repéré un premier œuf débordant de chocolats miniatures, un deuxième dégoulinant de caramel fondant et quelques autres de dimensions plutôt modestes au contenu insignifiant.

Dans l'ensemble, j'étais satisfait de mes trouvailles. Le grand jeu n'était pas terminé pour autant. Au tour de mon père maintenant de dénicher la surprise que ma mère lui réservait chaque année: généralement orné de fioritures, un œuf de manufacture farci de croquis inédits, d'idées saugrenues, d'expressions bizarres, de mots crus, de doubles ou triples messages tordants, délicieux, provocateurs, au gré de ses humeurs et inspirations du moment.

Comme je lisais aussi bien entre les lignes qu'à travers les coquilles, je savais que l'unique message pascal de ma mère était, cette fois, des plus explosifs. J'ai pensé fabriquer de toutes pièces, avec les moyens du bord, un masque protecteur pour le visage de mon père. Mais je me suis ravisé. Tout garçonnet qui se respecte ne doit pas épargner à ses parents les risques inhérents à leur évolution.

En deux temps, trois mouvements, mon père a mis la main sur le billet dépourvu de toute signification hermétique: «J'aime Isabelle. Je veux vivre avec elle.»

Pour faire passer son aveu en douceur, ma mère aurait dû l'enrober de dessins rigolos, de signes évocateurs, de pierres qui roulent, de tombes qui s'ouvrent, de fleurs qui pleurent...

J'ai eu peur que mon père ne soit frappé d'apoplexie. C'était sans compter sur ce vieux réflexe de survie qui l'a d'abord fait succomber à mes caramels et à mes chocolats. Puis il a lancé l'œuf pourri par terre, a réduit le message en boulette digne des meilleurs ragoûts du terroir et l'a jeté dans les eaux des égouts, lui intimant l'ordre de se biodégrader au même titre que la bouse de vache et les excréments des amants.

Après ce coup d'éclat, mon père s'est barricadé dans sa chambre. Étais-je également doué de claire-audience? Je l'entendais égrener son chapelet de regrets.

Après les avoir boudées durant toute son enfance, voilà que sa femme s'éprenait d'une poupée qui marche, pisse et crie «maman!» comme tout le monde quand on exerce des pressions sur son ventre. Avoir su, il se serait méfié des baguettes magiques qui œuvrent clandestinement dans les bars des villes et des villages, il n'aurait pas contracté de mariage religieux et civil, n'aurait pas signé de bail à Montréal, n'aurait surtout pas mis les pieds dans ce fichu hôpital où, du soir au matin, les civières puent le crottin de cheval... Si c'était à refaire, avant d'accorder la moindre jouissance à sa femme, il enfouirait un anticonceptionnel à sécurité maximale dans son bol de céréales...

M'empêcher rétroactivement de venir au monde! C'en était trop! J'ai voulu stopper l'escalade de jérémiades en frappant à coups redoublés sur la porte de sa chambre. Mon père m'a offert, en guise de réponse, une séquence de rots à tonalités variables comme s'il venait de faire bombance. Semblable trivialité exige de plus fines interventions. J'ai tenté de réaliser une transmission de pensées stimulantes. Mes techniques télépathiques n'ont rien donné: les piles de mon père étaient à plat... J'ai obtenu le même insuccès avec ma transfusion de tendresses célestes. Depuis le temps que j'étais né, il ne m'en restait que des miettes...

J'aurais pu disserter indéfiniment sur le libre choix et la fatalité. Mais l'heure n'était pas à la controverse philosophique. J'ai couru vers la cuisine où la lapine mijotait un plat de gala dont personne ne voudra étant donné les troublantes circonstances. J'étais soulagé qu'Isabelle soit restée chez elle. Dans l'état d'égarement où il se trouvait, mon père aurait pu cacher son anneau de mariage dans le coco de sa rivale qui se serait étouffée sur-le-champ, la pauvre, avant de renouer avec son défunt bébé qui en avait sans doute long à lui raconter.

À contre-courant de la tradition qui les érige en symbole de résurrection, ces Pâques auront été mortelles pour mes parents. Désormais, plus rien entre eux ne resplendirait de l'éclat originel.

Un déménagement inévitable

Depuis que l'œuf de la vérité avait explosé, tout allait de mal en pis chez nous. Isabelle était interdite de séjour, d'accord, mais ce qui relaxait mon père rendait ma mère marabout. Le fossé qui s'était peu à peu creusé entre eux faisait maintenant office de tranchée. Une fois revenus du champ de bataille, les ex-combattants l'affirment sans ambages: une guerre froide est plus néfaste pour la santé mentale qu'un réel bombardement.

Notre déménagement de la rue des érables devenait inévitable et mon père le planifierait dans les moindres détails. Coïncidant avec mon sixième anniversaire de naissance, l'annonce qu'il m'en a faite a été noyée dans l'ensemble des émotions de la journée.

Pour tout dire, j'avais hâte que mes parents se séparent et que les bouleversements que j'avais entrevus lors de ma première nuit de Noël se concrétisent enfin. L'atmosphère devenait lourde avec cette épée de Damoclès suspendue au-dessus de nos têtes...

Je savais que tous nos bagages prendraient le bord du Plateau Mont-Royal. Barbe blanche et costume de père Noël iraient chez mon père; jupes volantes et foulard orange suivraient ma mère, évidemment. Mais je me demandais à qui la Cour confierait ma bicyclette et mes patins à une lame. À mes deux mères sur la rue Boyer? À leur ennemi juré, rue Resther? À ma parenté de Trois-Rivières? La question n'a jamais été débattue. Mes grands-parents étaient trop fatigués pour recommencer à élever une marmaille et ma mère sera comblée par une maternité du dimanche. Elle aurait d'ailleurs pu m'accuser d'acharnement parental si j'en avais exigé davantage.

Pour que mon père puisse s'insurger contre l'amoralité de sa femme, il aurait fallu qu'elle le trompe avec son meilleur ami à lui – pour des raisons qui m'échappent encore, les hommes aiment cent fois mieux rester cocus entre eux. J'admets que c'est plutôt embarrassant pour un mari, mais c'est drôlement instructif pour un jeune loup d'avoir une mère bisexuelle: ça enlève les œillères, ça élargit les horizons... Quelque chose me disait qu'à longue échéance, personne n'y perdrait au change. J'étais certain qu'après un bref apogée, cette aventure connaîtrait une étonnante issue qui rétablirait l'harmonie familiale rompue le jour de Pâques où l'un de nous avait reçu un coup de poignard.

Mon père et moi devons à nos atomes crochus d'avoir conservé notre complicité intacte malgré nos divergences de vues. J'avais un faible pour Isabelle et lui ne voulait rien savoir d'elle. Il m'arrivait même de la disculper en secret. Je me disais: cette femme est sans doute plus altruiste qu'homosexuelle, elle s'entiche de ma mère exprès pour me délivrer de cet astre néfaste dans ma carte du ciel... Je n'ai jamais osé communiquer mes perceptions à mon père. Il m'aurait pris pour un traître et un hurluberlu!

Ma grand-mère s'est répandue en commérages dès qu'elle a appris l'écroulement du mariage de mes parents. Le sens du drame est indéracinable chez les personnes âgées – ainsi que l'horreur du péché. Il paraît qu'elle priait tous les saints répertoriés au calendrier pour qu'ils remettent notre trio sur ses rails. Voyons donc! Les morts ont d'autres chats à fouetter que d'empêcher une cellule microscopique d'éclater. Il n'y a pas que les familles qui tombent en ruine, les planètes aussi s'émiettent!

Comme il fallait s'y attendre, les réprimandes de mon grand-père se sont abattues comme une pluie de grêlons sur les épaules de son cadet: il avait abandonné son cours collégial pour s'amouracher de la première traînée venue... il l'avait engrossée avant même de recevoir la bénédiction nuptiale... il avait claqué la porte de la maison familiale sans lui donner un coup de main dans les affaires... pour finir le plat, il balançait son ménage par-dessus bord. La vie de mon père n'était pas exemplaire, d'accord, mais de là à parler de beau fiasco... À la place de mon grand-père, j'aurais cherché dans le dictionnaire de l'espéranto un dénominatif moins universellement péjoratif.

L'échec retentissant de ma fête des Rois me poursuivrait-il donc jusqu'à la fin de mes jours? Aucun des copains de mon voisinage avec qui j'avais livré des batailles mémorables ne semblait affligé par mon imminent départ. Même les petites filles se passaient le rouleau compresseur sur le cœur...

Perdre deux bons clients d'un seul coup ne faisait pas un pli au propriétaire de notre dépanneur. Ce n'est pas une question d'ethnie: son commis latino n'a pas plus réagi.

Incroyable! Pas un seul arbre du voisinage ne s'est déclaré malade lorsqu'il a eu vent du tumulte chez les Campeau et aucun n'a rougi prématurément. Le mythe de l'interconnexion des organismes vivants a la vie dure! Je me suis juré de le détruire lorsque j'aurai tous les éléments en main – dont un baccalauréat en environnement urbain.

Une fois les papiers du divorce signés, ma mère a refusé de payer sa quote-part des frais notariaux. Les femmes détestent d'autant plus s'embourber dans les tracasseries administratives que leurs revenus sont moindres que ceux des plus minables représentants de la Couronne qui certifient les déclarations de haine.

Que mon père récupère le jonc de mariage que sa compagne avait mis au rancart m'a fourni plus de renseignements sur la valeur marchande des métaux que sur la profondeur des liens matrimoniaux.

Quelle tristesse, par contre, de voir ma mère jeter son diadème à la poubelle. Pour qu'une reine donne ses perles aux pourceaux...

Certaines femmes sont plus insaisissables que les érables. Pour mieux comprendre le fonctionnement interne de ma mère, j'ai décidé de consulter sa boule de cristal, en direct de sa boîte d'origine estampillée «Fragile».

Ce genre d'enquête présuppose l'aménagement d'un cadre favorable aux transconfidences. À défaut de froufrous et de clinquants, j'ai confectionné une chape de grand-prêtre avec mon édredon, replacé sur ma tête ma couronne de roi déchu, allumé un bâton de patchouli et deux chandelles au miel. Pour convoquer solennellement les oracles, j'ai chanté *Only You* en solo – nous n'étions pas assez nombreux pour entonner *Frère Jacques* en canon et j'avais perdu les mots de *O sole mio* –, puis j'ai exécuté, à un train d'enfer, un enchaînement rigoureux de gestes précis: froncements de sourcils, tressaillements du nez, rotations des genoux, ruades saccadées, torsions du cou, battements d'ailes, frottements de zizi, et j'en passe. J'ai cru augmenter mes chances de faire la lumière sur le cas de ma mère en pesant sur chaque tache de rousseur qui tavelait ma figure comme s'il s'agissait de commutateurs. J'avais beau avoir les joues en feu, je ne voyais rien d'autre qu'une pierre tombale dans la boule de cristal. Mauvais présage?

Le matin de notre déménagement, mon père avait le cœur aussi gros que n'importe quel impuissant de Shawinigan. Mais il n'arrêtait pas de me donner le change en parlant sans arrêt de la pluie et du beau temps. Moi qui le portais aux nues, j'ai souhaité être un homme différent plus tard, pourvu qu'un surplus de mères n'entrave pas mon développement.

45

C'est ce jour-là, si je ne m'abuse, que j'ai fait le serment d'honneur de ne plus jamais grimper sur ses genoux. Mon père et moi étions mûrs pour une relation égalitaire. Après tout, déménager, ce n'est pas transporter le statu quo sur son dos. C'est le renverser.

En moins de temps qu'il n'en aurait fallu à un petit veau pour faire le tour de son pré, j'avais déjà visité les moindres recoins de notre nouveau logis. Des murs parfaitement insonorisés! Idéal pour que mon boulimique de père éructe en toute liberté.

J'ai vécu ma première nuit sur la rue Resther les yeux grands ouverts. Pas tant du fait du dépaysement qu'à cause de ce filet de voix dans la région du ventre qui me murmurait des choses excitantes. Si j'avais bien capté l'essentiel de son message, je découvrirais sous peu un espace de grâces, rempli de roches et de sable, une cour des miracles.

J'aurais toutefois été très embêté de spécifier si la petite voix de mes entrailles grésillait en français ou en anglais, au propre ou au figuré, en rêve ou en réalité.

Un document archéologique

Mon père et moi pouvions enfin entamer cette vie dont nous avions peut-être rêvé depuis toujours. Il existe toutes sortes de tandems sur terre. Le couple homme-femme n'est qu'une forme parmi tant d'autres d'arrangements préfunéraires.

N'ayant jamais confié les soins domestiques à la fée des étoiles et des nuages, mon père s'acquittait honorablement de ses tâches ménagères. Je n'aurais jamais soupçonné cependant à quel point il est fastidieux d'élaborer les menus de la semaine, nos goûts coïncidant rarement avec les meilleures aubaines. Mon père et moi ne tenions aucun palabre pour venir à bout de nos différends. Les hommes ont les coudées franches et se comprennent à demi-mot. Nous nagions, je crois, en pleine lune de miel. Le quotidien entre mâles est moins compliqué et moins turbulent qu'avec une femme. Jusqu'à ce que l'on m'en offre un cinglant démenti, cette impression fugitive s'est muée chez moi en conviction.

Compte tenu de notre décomposition familiale, ma grand-mère aurait pu se jeter en bas du pont de Trois-Rivières. Mais non! Elle s'est amenée chez nous, un bon samedi matin, la valise croulant sous les chiffons-J, les tissus et les retailles, les cadres, bibelots et vieilles potiches en plâtre, les désinfectants miracle et autres produits de nettoyage. Les grands-mères croient leur ordre indispensable, aussi l'imposent-elles partout où elles passent. On s'en foutait royalement, nous, que nos fenêtres n'aient pas de rideaux et que notre baignoire ne soit pas aussi impeccable que celle de la reine d'Angleterre! Après avoir fourni son aide et exercé son hégémonie, ma grand-mère est repartie chez elle, nous laissant en héritage une montagne de biscuits au gingembre. Tout en saisissant mal les savantes constructions qu'échafaudait mon cerveau, je me disais en moi-même: Les dames ont la manie épouvantable de gagner l'estime des leurs par le ventre. Il faut que ça change! Les hommes auront-ils seulement la patience d'attendre?

Insouciant et choyé, je n'étais pas pressé de participer à cette révolution. Mais je démontrais une remarquable capacité d'adaptation. Chaque semaine, je faisais la navette entre le logement de mon père et l'hôtel privé de ma mère où Isabelle avait récemment été promue femme de chambre. C'est elle qui m'emmenait jouer dehors pour reposer les nerfs de ma mère, qui mettait de la ouate dans mes oreilles ou des gouttes dans mon nez si nécessaire, lavait mes pieds, mon dos, mon cou...

La cohabitation de deux femmes faisait dresser les cheveux blancs de mes grands-parents qui ont mis beaucoup de temps avant d'en percevoir les profits et avantages. J'avoue qu'il m'a moi-même fallu une période d'observation pour conclure que ce type d'alliance donnait lieu à de substantielles économies, entre autres, sur l'achat de préservatifs et d'anovulants.

Autant j'adorais séjourner rue Boyer, autant je ne rechignais jamais à revenir chez moi. Les migraines de ma mère élisant toujours le dimanche, les vilaines, pour lui marteler le crâne, Isabelle recevait à tout coup le mandat de me raccompagner à bon port. Bah! Pourvu qu'une main fiable m'aide à traverser l'avenue du Mont-Royal... Les prophètes le soutiennent dans tous les dialectes: le sentiment d'appartenance à l'univers confère de l'aplomb aux grands garçons.

Mon père redoutait que mon identification sexuelle ne fût perturbée en vivant chaque week-end loin du modèle masculin qu'il cherchait à m'imposer. Je ne partageais aucunement ses inquiétudes, mais j'ai multiplié les combats d'oreillers avec lui pour le rassurer sur ma virilité.

Je me plaisais en la compagnie de la plupart des adultes de mon entourage, n'empêche, je m'ennuyais mortellement des copains de mon âge. Mon ratissage du quartier, à pied ou à bicyclette, a porté fruit: mes conquêtes ont envahi ma cour à toute heure du jour, en quête de riches expériences dont celle des biscuits au gingembre.

Quoi de plus lassant à la fin que les jeux improvisés! Mes amis et moi avions atteint un total essoufflement en moins de trois semaines. Notre banque de données était épuisée. Nous tournions en rond. À moins d'effectuer un virage de cent quatre-vingts degrés, nos vacances d'été s'annonçaient tristes et longuettes.

Je ne sais quel ange cornu m'a alors soufflé l'idée de proposer à ma petite bande une activité hautement organisée. J'ai pris soin d'assortir leur participation volontaire à ma fouille aux trésors d'incontournables conditions.

Chaque pirate devait se boucher un œil avec une matière lavable et non inflammable, ceindre sa tête d'une pièce d'étoffe multicolore, se munir d'une quantité suffisante de chaudières et de pelles de plage, apporter un léger goûter. Afin de contrer tout parasitage, j'ai exigé de chaque pilleur qu'il démontre la détermination nécessaire à la poursuite des objectifs de l'entreprise collective, remette ses découvertes au capitaine des lieux – moi, en l'occurrence – et respecte le secret professionnel relatif à la nature de ses trouvailles. Loin de moi l'intention de jouer au patron intransigeant. Nonobstant leurs antécédents sociaux, et pourvu qu'ils prononcent intégralement mon mot de passe, tous mes comparses auraient droit à un verre de Cream Soda.

Le jour convenu, une poignée de filles et deux fois plus de garçons faisaient la queue à la porte de ma cour arrière, bandeau sur la tête, cœur au ventre, formule convenue sur le bout de la langue. Sans plus de préambule, j'ai déclaré ouverte la piraterie du siècle.

Au début de la matinée, tout marchait sur des roulettes. Rien ne laissait deviner qu'après une trentaine de joyeuses pelletées, le découragement s'emparerait de la plupart des aventuriers dont la bonne volonté initiale était manifeste.

J'ai fait tout ce qui était en mon pouvoir pour fouetter l'ardeur de mes troupes: des envolées lyriques, des discours à saveur politique, des promesses en l'air, deux ou trois farces plates... Les plus délurés ripostaient qu'il n'y avait rien d'excitant à pelleter du vieux sable et des cailloux inintéressants sur le marché. J'ai continué à défendre ma cause de mon mieux. Ma réputation de communicateur-né était-elle surfaite? La moitié des corsaires ont abandonné le bateau immédiatement après le dîner.

J'ai assuré les persévérants qu'ils en seraient ultimement récompensés. Je ne pensais pas si bien dire. Une heure plus tard, j'ai été secoué de la tête aux pieds par un tremblement de terre extrêmement localisé. Je ressentais un tel magnétisme sous mes semelles... Facile, le métier de sourcier, suffit de suivre le courant dans ses souliers!

J'ai creusé, creusé, creusé, pour tout à coup buter sur une résistance. J'ai transgressé la consigne du silence que j'avais dûment instaurée en exhibant ma découverte à la ronde: importée des vieux pays, une boîte métallique assez grande pour contenir des centaines de chocolats ou de caramels fondants. Sous le titre *Carnet d'une traversée*, une liasse de feuillets rose pâle entourés d'un ruban de satin noir, datés du 16 décembre au 24 janvier d'on ne savait trop quelle année, gribouillés à la hâte, écrits dans la rage ou couchés sur papier dans la plus pure extase.

Quelle trouvaille décevante pour moi qui n'avais pas encore été initié à la lecture, même en diagonale! Par bonheur, le coffret renfermait une reproduction d'un tableau signé Paul Klee – *Avec deux dromadaires et un âne* – que j'ai couru épingler sur les murs de ma chambre. Tout de même, ce n'était pas rien comme butin!

À cause de l'importance de l'événement, mon père a remis aux calendes grecques le pique-nique destiné à ceux et celles qui avaient travaillé d'arrache-pied. En plus de n'avoir rien découvert de particulier, les vaillants se voyaient ainsi privés d'une compensation des plus méritées.

Ces frustrations ont provoqué une levée de boucliers dans ma cour où je n'entendais plus que des huées. La rumeur que tout avait été arrangé avec le gars des vues s'est répandue comme une traînée de poudre. À entendre ces ânes, mon grand jeu n'était qu'une vaste manigance. Mon père aurait enterré le coffret la veille en marquant d'un signe cabalistique l'endroit où son fils devait faire semblant de l'apercevoir pour la première fois.

Ces accusations de préméditation étaient franchement malveillantes et ces insultes plus cruelles encore que celles que l'on m'avait infligées le 6 janvier dernier. J'étais vexé que mes compagnons de fortune s'offusquent du hasard objectif et revendiquent injustement leur part du trésor. Certains d'entre eux claironnaient même leur désir de vengeance. Ces menaces et invectives ont failli avoir raison de mon calme olympien. J'acceptais mal que mon initiative se retourne contre moi et que d'amuseur public, j'en sois rendu à passer pour un imposteur et un vil exploiteur. Je nageais en pleine absurdité. À quoi bon être venu sur cette planète si c'était pour récolter des paquets d'injures? Je savais pertinemment que je ne pouvais pas compter sur ma mère pour redorer mon blason. Si elle avait été présente sur les lieux du drame, je parie qu'elle aurait ri aux éclats. Malgré nos liens étroits, mon père n'a pas su imposer la vérité avec autorité. Il a invité les fillettes à retourner au plus sacrant chez leurs mamans et procédé du même coup à l'évacuation forcée des garçons. J'avais pourtant prévu pour ma journée une autre forme d'apothéose!

Entre deux ou trois sandwichs à la saucisse généreusement garnis de relish-moutarde, allongé sur le divan, en lotus sur le tapis ou calé dans ses oreillers, mon père a consacré sa soirée au décryptage du document archéologique plus récent que les vestiges des Atlantes.

Malgré mon analphabétisme, je suis également passé à travers, soutenu par un imaginaire débridé, auraient allégué les spécialistes de l'âme humaine, dans l'ignorance de mon extra-lucidité.

Paul Klee, *Avec deux dromadaires et un âne*

CARNET D'UNE TRAVERSÉE

Je rencontrai le désert.
Le soleil dans le désert.
Dieu dans le soleil.

Maurice Béjart

16 décembre

Je chantais *L'Hymne à la joie* en allant vers lui. J'ai chanté *Le Cantique des énigmes* en revenant.

Il a refermé sa porte. Un étranger déverserait bientôt ses flots de misère, et il allait prendre cette averse sur le dos, grelotter, frissonner et chercher un soleil où sécher ses os.

S'il n'est pas mon âme sœur, suis-je en ce moment sur la rue Resther? Dieu n'est-il qu'une boule dans la gorge de l'univers?

17 décembre

Ce jour de notre rencontre, rien d'autre n'avait sa raison d'être. Ce cliché m'épouvante, mais suis-je née pour exposer des idées brillantes? Nous aurions dû laisser la misère des étrangers déferler par torrents, nous faire des promesses éternelles et tenir nos engagements.

Notre rencontre a produit une onde dans d'autres mondes. Le jour où cette onde viendra mourir à nos pieds, nous aurons honte d'avoir abandonné ce que nous avions créé.

18 décembre

Dans ce genre de désert, la lune est d'argent et le soleil est d'or. Les chameaux s'affaissent sur le sol en relâchant leurs mâchoires. Les yeux tournés vers le haut, ils s'abreuvent dans la coupe du ciel.

Ô bienheureux dromadaires, vous dont aucune eau terrestre n'étanche la soif légendaire, plutôt qu'une parure mortuaire, portez une rose des sables à la boutonnière en souvenir de mon passage.

Ne m'oubliez pas dans vos prières, ô vous qui portez le flambeau du désert.

19 décembre

La dernière fois que je l'ai vu, je suis tombée de haut, comme une pomme d'un gratte-ciel. J'aurais voulu m'ensevelir sous une pyramide du centre-ville pour le reste de l'hiver. Aux yeux du monde, faire ma pharaonne.

Mais j'ai eu peur de manquer d'air. Et d'excellentes raisons d'en vouloir.

20 décembre

Notre mère Ève est tombée d'un tout petit pommier. La faute originelle lui aurait été fatale si elle avait chuté d'un gratte-ciel.

Depuis ce jour, dans un coin perdu, un petit bled, l'amour fait plus d'effet sur les chamelles, bien que les chameaux soient plus souvent en chaleur qu'elles, ou je me trompe.

Tous tant que nous sommes, nous ne sommes pas sortis du ventre gonflable de nos mères.

21 décembre

Avec lui, je serais allée partout où l'air est libre, où la terre brûle, où le sang des fleurs coule à flots. Je lui aurais fermé les yeux et, parfois, les lui aurais ouverts. Je me serais détournée du reste de l'univers.

J'ai grand espoir qu'il me revienne avant que je n'aie plus la force de serrer ses draps raidis dans mes bras.

Qu'alors notre pacte soit plus engageant que celui de Varsovie.

22 décembre

Suivant mon chemin, j'ai trouvé dans la bosse d'un dromadaire un diadème serti de pierres précieuses.

J'ai enseveli ma couronne dans la dune la plus profonde. Qui aurait dit qu'à mon âge je m'inclinerais devant un trou, dans le sable jusqu'aux genoux?

Depuis, j'ai fait vœu de silence. Parler des morts les empêche de se faire entendre.

23 décembre

Ô anges, ayez le courage de briser la tradition des missions générales. Allez vous époumoner dans sa campagne! Inventez un gloria pour lui enlever la main sur la sonnette d'alarme, un autre pour lui parler de moi de manière subliminale. Ayez la décence de vous reprogrammer, ô anges. Car vos hymnes sont désuets. Et notre malheur, entier.

24 décembre

Aujourd'hui, je change mes pierres précieuses en pommes fameuses, mes dromadaires en lapins qui font le tour de ma chambre en courant, mon chagrin en rires d'enfants.

Cela déconcerte les tenants de la souffrance à tout prix.

25 décembre

Je couche mon divin messie dans la neige, je pose ma main sur ma bouche pour ne plus l'entendre râler, je tâte son pouls, je ferme ses paupières.

J'attends que le soleil le fasse fondre. Cela ne se compte peut-être pas en jours... Pourvu que les pommes ne se désagrègent pas à l'intérieur de ma couronne.

26 décembre

Que dire de lui? Il a la beauté ottomane les soirs de désespoir. Un mélange de peau de soie et de gant de crin. Ni tonsure ni bure de capucin, il porte pantalon et chemise comme François d'Assise avant d'évangéliser les oiseaux. Parfois, ses yeux s'éteignent en douceur. Ses cheveux tresseront un jour une couronne sur sa tête de vieux.

Comment a-t-il su que mon âme se nommait Faïence?

27 décembre

Me redresser, poser mes pieds sur le tapis, toute une histoire! Je ne sais plus jouer de ce trombone, Bonhomme, je saute sur les cordes, à l'envers, à l'endroit, me replie sur le xylophone dont les vibrations me rendent folle, me laisse emporter par les instruments à vent, me roule sur la peau du tambour sans en éprouver de satisfaction profonde.

Pas l'ombre d'un lapin autour de mon lit. Côté magie, ce matin, j'ai perdu la main. Au lieu d'éblouir les enfants, je les apeure.

28 décembre

Troquerai-je un jour sa bure d'homme mûr contre ma tendre robe de chambre? Je ne suis pas une feuille desséchée au fond d'une tasse de thé...

S'il y a un sommet dans l'existence, *of course*, nous l'atteindrons ensemble. S'il n'y en a pas, je n'aurai plus qu'à redescendre.

Mieux vaut faire des glouglous dans ma baignoire que de me perdre en vaines probabilités.

29 décembre

Ce soir, Faïence lève sa coupe à ma santé, la bénit avant de la porter à mes lèvres, me chuchote ces mots mielleux à l'oreille: il se renie, il se trompe, s'il chute en sortant de sa tombe, il aura fait d'une pierre deux coups, s'enfuir et renverser les garde-fous.

Il serait inexact de parler d'euphorie. Mais certaines griseries valent le détour.

30 décembre

Ma peine rase le sol et, parfois, vole au-
dessus des volées d'oiseaux. Souvent, elle
chante. Des chansons gaies, des chansons
douces, des cantiques de petites filles qui
vont perdre connaissance dans un temple.

D'une heure à l'autre, je ne sais jamais à
quoi m'attendre. Ce désert regorge de surprises. Là n'est pas son moindre charme.

31 décembre

Pour le dernier jour de l'année, j'ai envie
d'un happy end. D'un Berbère qui me sui-
vrait chez moi pour me donner un vif
aperçu de sa culture et de son tempéra-
ment. Il garderait allumée toute la nuit ma
flamme de chevet. Il serait trop homme
pour que je dorme.

Un nomade qui me colle à la peau, le temps
qu'il faut.

1ᵉʳ janvier

J'ai revêtu un burnous de dentelle, ne vous
en déplaise. Des bracelets entourent mes
poignets dont celui de Venise sauvé d'une
destruction certaine. Un boa synthétique
rampe sur ma poitrine. Un ruban de satin
noir retient mes cheveux. J'ai mis un brin
d'ombre sur mes paupières: le soleil est de
plomb dans le désert.

Malgré ces efforts surhumains pour être
belle, je ressemble à une pauvre mendiante.
Car le joyau de ma conscience brille par
son absence.

2 janvier

Comment ai-je su que son âme s'appelait
Volcane?

Il se heurte, selon lui, à des obstacles insur-
montables. Il ne sait pas que lui viendra un
jour la lumière. Il croit à sa nuit comme à
l'irrémédiable.

Les étoiles noires sont l'œuvre du diable.

3 janvier

Volcane a la nostalgie des chants de la vie.
Chante, rossignol, chante, toi qui as le cœur
gai, qui n'as jamais perdu personne sans
l'avoir mérité.

Chante *L'Hymne des énigmes, Le Cantique des
mystères, God Save the Queen, Gloire soit au
Père, Bonhomme, bonhomme, sais-tu jouer,
Michaud est tombé de son vieux pommier...*

Ô rossignol de mes amours, réveille les
morts qui ne sont qu'assoupis.

4 janvier

Au rythme où vont les précipitations, je ne
suis pas certaine de passer l'hiver. Je n'ai
plus de feu intérieur et aucune autre source
de chaleur. Pourvu que la tempête n'étei-
gne pas ma lampe de chevet...

Je ne sais plus à quel saint me vouer: François en queue de chemise ou Jude, le déses-
péré?

5 janvier

Nos esprits se pénétraient de toutes parts. Fait irréfutable et impossible à prouver. Une propagation de foi dans tout le corps mystique...

Pour mourir avec lui, il aurait fallu que nos baisers deviennent conscients. Sur sa bouche, j'ai essuyé un refus.

6 janvier

Je me retire depuis vingt et un jours dans mon appartement. Ainsi qu'une vague qui ne tient plus à l'océan.

Que Melchior ou tout autre Roi mage vienne donc me livrer, dans une langue impeccable, sans accent ou couleur locale, des messages compatissants: qu'en Roumanie les femmes perdent leur enfant pour toujours alors que moi, je n'ai perdu que lui pour l'instant, qu'il est bon parfois d'avoir mal au ventre pour sentir Dieu grouiller par en dedans.

7 janvier

S'il se figure être pour moi un feu de paille, un tas de cendres, il s'enferme dans une prison d'où je ne le délivrerai pas.

S'il partage mes visions, qu'il fasse des excès de vitesse sur l'autoroute des Cantons de l'Est, verse une pluie de confettis dans ma baignoire, pose un rubis sur mon lit et, au moment le plus propice, une main sur mon pubis.

8 janvier

Parmi les cartes du Moyen-Âge étalées sur ma table, je choisis l'as d'épée en guise de miroir.

Du même velours que ma robe de chambre, une main surgie de nulle part tient une épée sans défense et un diadème duquel émergent deux branches de conifère. Précédées de boutons-promesses, les branches se terminent pareillement en deux fleurs, rouges ou blanches, quelle importance, qui donnent naissance à la pointe d'un cœur.

Ainsi sont disposées nos deux âmes qu'une couronne relie et qu'un glaive sépare.

9 janvier

Je fais parfois un grand ravaud, achète du brocoli, assaisonne copieusement mon foie de veau, ferme la télé, écoute Victor Hugo: «Sans relever la tête et sans me dire un mot, une ombre reste au fond de mon cœur qui vous aime, pour que je vous voie entièrement, il faut me regarder un peu de temps en temps vous-même...»

Pour oublier, je fais une compote aux pommes. Tout à coup, chez moi, ça sent l'inclination naturelle et le penchant spontané, ça sent les serpents autour de mes bras, ça sent Ève, ça sent ma mère, ça sent les enfants qui reviennent fous, fous, fous le dimanche de Saint-Hilaire. Tout d'un coup, chez moi, ça sent Victor Hugo à plein nez...

10 janvier

Bien que prévue depuis la nuit des temps, cette rencontre n'était pas préméditée de ma part. Je suis allée vers lui comme une enfant vers les vergers de Saint-Hilaire. Sans calcul et sans raison.

Mon jardin de délices a tourné en calvaire.

11 janvier

«Il faut bien que les choses qui sont, soient...» disait Victor Hugo en agitant sa table tournante.

Si chacun de nous fait ce qu'il doit faire, nous nous croiserons en chemin. Mais si l'un culbute et paralyse, l'autre ne rencontrera aucune âme qui vive. Lequel de nous deux aimerait propulser l'autre vers le vide?

12 janvier

Patience, Faïence! Même les digues les plus perfectionnées finissent par céder sous l'impact des forces naturelles. Avance! Si tu rencontres le vide, souviens-toi que le vide attire le plein et qu'il ne devrait pas être loin. N'idéalise rien. Ne te fais pas d'idées à l'avance. Laisse-le te surprendre au moment où tu t'y attendras le moins.

13 janvier

Ô ma mère, du haut de ton phare, cesse de faire de la buée dans mon miroir pour me prouver que j'existe encore. Je ne suis pas en danger de mort.

Pour l'instant, nous approfondissons les mystères de la vie, chacun dans notre lit.

Lorsqu'il viendra vers moi en chantant, les pieds en sang, ô mère, faites que les mots me manquent, que les bras m'en tombent.

14 janvier

Ce soir, pour ne pas couler à pic dans ma baignoire, je me suis agrippée de toutes mes forces à ma robe de chambre de secours.

Où poser le pied? Je vacille, je doute. De lui, de moi, de ma mère et de l'au-delà. Le doute gruge et ronge jusqu'aux fondations des gratte-ciel et des cathédrales. Selon les heures, couvre mes parquets d'œufs mollets ou de peaux de bananes.

15 janvier

Son renoncement a peut-être durci ses artères et provoqué un accident cardiovasculaire qui l'oblige à garder le lit le dimanche, tel un chien de faïence.

Et s'il en était à enfourcher son cheval sauvage et à venir me culbuter dans un fossé de Saint-Damase...

16 janvier

Sans l'ombre d'un dégoût, je regarde toutes choses se profiler dans le noir.

Tout peut arriver. Même une autre âme sœur, je ne parle pas d'un Berbère en passant, que je reconnaîtrai à l'éclat du regard. La synthèse serait différente, *of course*, mais peut-être me conviendrait-elle autant. Pour un temps.

17 janvier

Ô Michel-Ange, si tu exerces encore quelque fascination sur son esprit, fais-lui un dessin. Quelque chose qui ne le laisserait plus de marbre. Tu as répondu de ton vivant à des demandes tellement plus exigeantes. Ô Michel-Ange, un tout petit dessin dans la fenêtre de sa chambre, le jour où les anges iront cracher leurs gloria au fond de ses bois. Rien de sophistiqué. Que la vérité toute nue. Et un grain de beauté dessus.

18 janvier

Je crois aux rossignols roussis et au soleil ardent, à l'action de la lune sur les peaux de serpents, au besoin qu'a le diable de faire amende honorable...

Je crois en lui, je crois en moi.

19 janvier

Si, par la pensée, je peux créer des chameaux à volonté, échapper au sirocco, changer les dunes en vergers et les pierres en fruits confits, je peux aussi concevoir des mirages.

C'est ce qu'il voudrait me faire croire.

20 janvier

Ô soleil d'or, ne t'épuise pas à force de t'occuper de mon sort, il te faudra aussi rayonner dans mille ans. Car les frissons seront grands, et rares les baignoires.

Ô lune d'argent, tiens-moi compagnie pendant mes insomnies. Fais-moi rêver à tout et à rien, surtout à lui. Je te salue, à genoux, le front par terre, comme une musulmane sur le tapis de Turquie de mon âme.

21 janvier

La désolation tire à sa fin. Vient un temps
où, retirée, la vague aspire à l'océan.

Tout change. La mer étale ne se bat plus à
la surface. Pour les yeux du dehors, cet état
sera toujours confondu avec la mort.

22 janvier

Faïence réclame d'autres délices, d'autres
cantiques, d'autres mystères.

On ne passe pas sa vie à attendre une âme
sœur qui s'enfuit. On mange, on danse, on
prie. On écrit sur du papier rose. On brode,
autour de la vérité, deux ou trois autres
beaux mensonges.

23 janvier

Aux noces de Volcane et de Faïence, Victor Hugo est le principal témoin; François d'Assise et Michel-Ange, les deux garçons d'honneur; Ève, la petite bouquetière.

Ma robe est jaune serin et mon voile, vert clair. Quelques grains de sable ornent mon diadème, un zeste de désert. Les lapins sautillent dans tous les sens à la fois. Les rossignols s'envolent. Les enfants pleurent de joie.

Pas de gâteau-condominium. Que de la tarte aux pommes.

24 janvier

Adieu bouée de velours, enveloppe de mon âme, robe de secours! Adieu roses des sables et fruits meurtris! Je m'en vais danser tout l'hiver aux Folies Berbères!

Peut-être n'ai-je rien compris, libre à quiconque de me contredire: Dieu est une boule de feu dans la gorge des amoureux.

L'ÉPREUVE DE MES SIX ANS

Un trésor envahissant

Découvrir le *Carnet d'une traversée* m'a propulsé au premier plan de l'actualité de notre quartier. On m'offrait presque de couler mes espadrilles de sourcier dans le bronze et de les enchâsser aux côtés du cœur du Frère André. Pour un peu, les autobus provenant des quatre coins de la province incluraient la rue Resther dans leur circuit touristique.

Malgré cette popularité soudaine, j'étais controversé. Un tas de faussetés continuaient à circuler sur mon compte. Certains plaisantins soutenaient encore que mon père et moi leur avions menti lors de ma séance de pirates. Cette fois, je ne me suis pas laissé manger la laine sur le dos. J'ai juré sur la tête de ma mère que son ex-mari n'était pas doué pour la comédie et n'avait jamais eu l'étoffe d'un tricheur.

C'en était fini de notre tranquillité de mâles. Ma cour des miracles était devenue une curiosité locale. J'ai dû tenir de nombreuses journées «portes ouvertes» pour faire la lumière sur cet événement que d'aucuns s'acharnaient à qualifier d'obscur. Évitant les fumeuses extrapolations, je me faisais un point d'honneur de n'esquiver aucune des interrogations qui m'étaient adressées.

Plusieurs s'informaient des motifs qui m'avaient inspiré ces fouilles souterraines. Pourquoi chercher midi à quatorze heures? Au départ, ce n'était pas sérieux pour deux sous. J'avais tout bonnement proposé cette aventure excitante à ma bande d'amis pour ne pas mourir d'ennui durant nos vacances d'été.

Je n'avais pas la compétence d'un arpenteur-géomètre pour délimiter le tout avec exactitude, mais à ceux qui s'enquéraient de la surface à laquelle je m'étais d'abord attaqué et du diamètre du trou que j'avais par la suite creusé, j'ai fourni les dimensions les moins approximatives possible.

À la grappe de sceptiques qui présumaient que ma pelle de plage avait dû obéir à un savant trucage, je la leur ai exhibée sous tous ses angles. Je n'avais rien à cacher. J'ai même révélé qu'Isabelle me l'avait achetée. Pour ne pas alimenter les ragots, j'ai précisé que ma donatrice était une amie intime de notre famille, un point c'est tout. J'ai formellement interdit à quiconque de toucher à mon instrument d'exploration. Ma petite pelle devait conserver mes empreintes digitales, que je fasse ou non l'objet d'une enquête policière.

Chacun pouvait cependant manipuler à sa guise la boîte métallique importée des vieux pays, moins pratique qu'un coffre à outils, plus précieuse qu'un coffre à bijoux. Aux curieux qui spéculaient sur la couleur des feuillets qu'elle contenait, j'aurais pu faire avaler n'importe quoi: gris acier, rouge jell-o ou vert caca d'oie... Je ne sais quelle mouche m'a piqué pour que j'emprunte la forme négative: «Pas rose bonbon, voyons donc!» avant d'annoncer tout de go la vérité: «Rose comme un ciel d'été après le souper...»

Les francophones unilingues dont j'étais se réjouissaient de ce que les quarante textes aient été rédigés dans leur langue maternelle, sauf les mots *of course* employés ici et là et un unique happy end.

L'anonymat du document archéologique intriguait bon nombre d'observateurs. Pas de numéro d'assurance sociale, pas de bracelet d'hôpital susceptibles de nous mettre sur la piste de l'auteur. Que son âme s'appelle Faïence ne nous avançait pas d'un poil sur son identité réelle. S'agissait-il d'un pseudonyme, d'un nom de plume? Grâce à ses connaissances grammaticales, mon père a partiellement résolu l'énigme: la signataire était de sexe féminin. J'avais beau ne pas maîtriser les règles d'accord des participes passés, plusieurs éléments me faisaient aller dans le même sens que lui: le burnous de dentelle, l'ombre à paupières, les confettis dans la baignoire, l'omniprésence de la robe de chambre...

Le gérant de notre Caisse populaire était outré qu'une adulte responsable n'ait pas songé à déposer ses papiers confidentiels dans un coffret de sûreté. Je n'ai rien répliqué. Je ne voulais pas m'engager dans un douteux procès d'intentions qui aurait miné ma crédibilité déjà fort entachée.

J'ai participé à plus d'une polémique à propos de la nature du *Carnet*. D'aucuns tenaient mordicus à le classer parmi les faits vécus, d'autres le rangeaient volontiers dans les rayons ensoleillés de la fiction. Qu'est la vérité? Et où sont les mensonges? Même les experts littéraires appelés à la barre auraient été divisés sur ces sottes considérations de catégorie et de genre.

À l'intention de ceux qui prêtaient intérêt au contenu du *Carnet*, je campais d'abord le décor: l'histoire se déroule sur le Plateau Mont-Royal, sur la rue même où je demeure, dans la chambre de mon père – peut-être bien dans la mienne –, durant la période des Fêtes d'on ne sait trop quelle année, quoique les références au pacte de Varsovie et à la souffrante Roumanie nous laissent croire que ces scribouillages ne datent pas du début de la colonie, encore moins du déluge.

Lorsque je devais épiloguer sur le sujet, je m'adaptais à chaque auditoire. J'avoue que j'étais inégalement inspiré.

Question de courtiser les gloutons et les obèses de notre quartier, pourcentage non négligeable de sa population, j'ai dressé l'inventaire des brocolis, œufs mollets, tranches de foie de veau, tartes et compotes aux pommes figurant au menu du *Carnet*. Quant aux maigrichons et aux anorexiques, je n'ai jamais su comment les aborder.

Je ne me forçais pas les méninges s'il fallait, par malheur, que je m'entretienne avec des ignares. Je leur livrais un résumé du récit dont les racines historiques se perdent dans la nuit des temps: une Ève de l'ère moderne attend désespérément l'homme qu'elle aime. Je ne mentionnais surtout pas le Berbère qu'elle souhaitait rencontrer entretemps. Ces simples d'esprit auraient été tout mêlés!

Je savais me montrer plus grave et plus enflammé face aux intellectuels raffinés, portant aux nues les œuvres de Michel-Ange, déclamant *in extenso* le poème de Victor Hugo ou l'exergue de Béjart, battant les premières mesures de *L'Hymne à la joie* comme si le génie de Beethoven s'était soudainement emparé de moi...

Certains de mes comptes rendus péchaient par subjectivisme. Il m'arrivait, en effet, d'ajuster mes données au credo personnel de mes interlocuteurs ou à leur degré de réceptivité.

Par sympathie pour ceux qui filaient un mauvais coton, j'insistais sur les insomnies de la dame, sur ses maux de ventre et sur ses doutes aussi traîtres que des peaux de banane. Avec eux, je ne me permettais aucune allusion aux lapins qui faisaient le tour de son lit en courant, aux griseries, aux chants, à la danse, à la robe de mariée jaune serin et au voile vert clair – pire que ma mère à ses heures de gloire!

Lorsque j'ai colporté la nouvelle à ma grand-mère, je lui ai fait une description exhaustive de la boîte qui aurait pu contenir des biscuits au gingembre puis j'ai cité les noms de Jude et de François d'Assise, canonisés par les prélats de son Église. J'ai passé sous silence les incantations aux astres et aux dromadaires de même que les références au Dieu-boule-de-feu. Ma grand-mère aurait crié au scandale devant ces pratiques et croyances peu conformes aux dogmes.

À ceux qui désiraient voir de visu l'aquarelle de Klee – trois animaux égarés dans un désert brun, jaune et vert –, j'ai distribué des laissez-passer pour une visite guidée de ma chambre. Les avis étaient partagés. Pour les sportifs à tout crin, le tableau ne valait pas une affiche de joueur de hockey, alors que les esthètes dans l'âme tombaient en pâmoison devant la reproduction. C'est à contre-cœur, quelques semaines plus tard, que je l'ai transférée à ma résidence secondaire où la nécessité de fortes inspirations se faisait davantage sentir que celle de médicaments à doses massives.

Ma mère était cependant trop obnubilée par ses ruminations pour s'intéresser à mes péripéties. J'ai merveilleusement réussi, par contre, à piquer la curiosité d'Isabelle qui aurait payé cher pour examiner le *Carnet* de près. J'ai promis de plaider sa cause auprès de mon père. Malgré tout le respect que je lui portais, il n'avait pas le droit de s'approprier ce fragment de notre patrimoine auquel tout honnête citoyen devait avoir accès.

Les corsaires qui n'avaient pas tenu le coup lors de ma course aux trésors, et étaient repartis chez eux déconfits, reprenaient maintenant goût aux scaphandres et aux épaves. Même ceux qui m'avaient traîné dans la boue me promettaient de ne plus se laisser submerger par la colère ou la poltronnerie. Leur conversion subite a failli pulvériser mon intention de ne plus jamais organiser d'activités spéciales. J'ai passé l'éponge sur leur déloyauté, mais j'ai persisté dans ma décision. Il est illusoire de répéter les mêmes expériences. À trop courir après la magie, elle s'évanouit.

Les plus entreprenants n'ont cependant pas quémandé mon autorisation pour commencer à creuser dans les cours environnantes. J'étais persuadé qu'ils ne déplaceraient que du vent. Mais de quel droit aurais-je pu les dissuader d'explorer? Chacun ses utopies!

Mon père s'est avisé de faire reprographier le *Carnet* – une feuille volante est si tôt envolée! Mais j'avais des réticences à faire circuler les copies sous le manteau, comme la poésie en Russie. J'avais peur que nous ne soyons poursuivis un jour pour profanation de documents sacrés et divulgation de secrets.

Chanceux comme je l'étais, je nous voyais déjà en train d'empiler les pièces au dossier... et les factures d'avocat! Si l'on ne voulait pas se saigner à blanc pour triompher d'une autre accusation injustifiée, nous devions à tout prix retracer l'auteure du manuscrit.

Mon père et moi avons d'abord essayé d'obtenir les coordonnées des derniers occupants de notre logement. Muet comme une carpe, le propriétaire de l'immeuble a rejeté notre requête d'un revers de nageoire. Comme par hasard, tous nos voisins immédiats avaient perdu la mémoire.

Puisque nous étions prêts à faire des pieds et des mains pour parvenir à nos fins, nous avons fait publier une petite annonce dans les colonnes du *Guide Mont-Royal*: «Femme ayant traversé le désert en baignoire, prière de rejoindre les Campeau au...»

Cette invitation étant tombée dans un vide sans fond, nous en avons modifié le contenu en vue de trois insertions consécutives dans le plus grand quotidien de langue française en Amérique du Nord: «Faïence éprise de Volcane, prière de...» Aucune réponse.

Nous avons enfin exigé du *Journal de Montréal* un caractère gras, tranchant sur la grisaille de ses pages, pour la reproduction intégrale de notre nouveau message auquel nulle ne ferait écho: «Femme dansant tout l'hiver aux Folies Berbères...»

Mon père reluquait du côté d'*Allô Police* pour rejoindre un plus large bassin de lectrices. Sans être un éteignoir, j'entendais déjà les appels des farceurs qu'il s'apprêtait à recevoir. Le jour où je l'en ai découragé, fidèle à mon serment, je n'ai pas grimpé sur ses genoux pour renouer avec *Pierre et le Loup,* absent de notre quotidien depuis que celui-ci était démesurément envahi par le trésor.

La parution dans l'hebdo du quartier a produit des effets imprévus. Muni de son appareil photographique, un as-reporter m'a suggéré de reconstituer, dans l'ordre chronologique, les diverses séquences de mon grand jeu d'été.

J'ai sauté dans les airs pour mimer l'engouement matinal, tiré la langue pour simuler l'effort musculaire, essuyé la sueur qui perlait sur mon front, levé le nez sur les contestations naissantes, prononcé des sermons de circonstance, esquissé une moue de dégoût face à la lâcheté ambiante, repris ma pelle de plus belle, fait vibrer mes souliers à haute intensité, écarquillé mes yeux de poisson pour marquer la surprise, bouché mes oreilles devant les malversations générales, fermé les poings en signe de colère, rejoué l'évacuation forcée des envieuses et des enragés...

Réticent à tout tapage médiatique, mon père s'est malgré tout prêté à une brève entrevue.

Le journal ayant pénétré dans tous les foyers des environs, l'article en question a fait des vagues. Mon père et moi avons dû procéder à une spécialisation de nos tâches: lui répondrait au courrier et moi, aux sollicitations téléphoniques. Avec cette répartition équitable, les minutes, les heures et les journées s'écoulaient plus vite que les grains dans un sablier. Cet emploi du temps surchargé risquait de compromettre mon entrée en première année.

Mon père a clôturé ce mois où il avait pris un léger surplus de poids en postant à Trois-Rivières le premier reportage journalistique consacré à son fiston. Il était fier de prouver à mon grand-père que je n'étais pas un beau fiasco!

Une rentrée incognito

Je m'attendais à ce que la directrice de l'école Saint-Rodolphe m'accorde un traitement de faveur: un siège capitonné, un pupitre en acajou, une plume en or... Mais non! J'ai fait une rentrée incognito. Au-dehors, j'étais une star. En dedans, j'étais ravalé au rang d'humble débutant.

Personne ne m'avait préparé à ce brusque parachutage de la maternelle à la première année. Plus de caissons remplis de jouets au fond de la classe, plus de petit tapis pour faire un roupillon l'après-midi, plus de sorties improvisées çà et là dans le quartier... Ce n'est pas parce qu'on lui met un sac de cuir sur le dos qu'un ti-cul est prêt à faire le grand saut!

Le sérieux de la grande école m'a frappé de plein fouet. On était tous assis en rangs d'oignons comme dans les potagers de l'armée. On attendait le signal de la caporale en chef pour ouvrir notre pupitre quasi verrouillé à clé. On se dirigeait en meute vers les urinoirs, tant pis pour ceux dont les besoins ne pouvaient être satisfaits aux heures réglementaires. On griffonnait des insipidités dans d'austères cahiers qu'il nous était interdit de colorier. On comptait des boules de boulier, des bâtons de popsicle, des boutons en nacre, des bonbons à la mélasse, tout ce qui nous tombait sous la main ou sur le cœur. On répétait en chœur tout ce que la maîtresse nous disait. On se serait cru à un congrès mondial de perroquets!

J'en grognais un coup. D'accord, on n'avait plus la couche aux fesses, mais pourquoi nous traiter en vieilles pièces d'artillerie? Juste à penser à la vingtaine de degrés académiques que je devrais me taper avant de décrocher mon baccalauréat en écologie, j'en avais la nausée. Par miracle, je n'ai pas pour autant été dégoûté de la première année. Quelque chose me disait que je devais commencer par le commencement pour donner, un jour, des assises scientifiques aux théories que j'avançais à vue de nez. La probabilité de fonder mes visions intuitives sur des statistiques, du roc, du tangible, du solide, rendait phénoménale ma motivation d'apprendre.

Mais j'étais le roi des distraits. Pendant que la maîtresse s'évertuait à nous faire comprendre que tel nombre symbolisait telle valeur numérique, j'élaborais ma thèse sur le manque d'interdépendance entre les humains et les végétaux. Un monde de différences!

En mordillant avec appétit mon crayon de plomb, je me disais en moi-même: un père érable peut tomber malade tant qu'il veut, ce n'est pas lui qui apporte le pain et le beurre sur la table... Une mère mélèze ne se lève jamais à trois heures du matin pour donner le sein ou le biberon... A-t-on déjà vu une rose *Royal tea* s'écorcher les genoux en se jetant, éplorée, aux pieds de son amant? Ou un sapin ravaler un gros chagrin le soir de Noël? Il n'y a pas de mérite à somatiser lorsqu'on est dépourvu de psyché. Incapables de réfléchir à la survie de notre planète et d'adapter leur comportement en conséquence, les végétaux ne peuvent pas souffrir la comparaison avec nous. Ils disposent, c'est certain, de troncs, de branches, de bourgeons, de fruits et de feuilles. Les plus rusés usent d'épines pour protéger leur territoire et les plus majestueux atteignent de hautes cimes. Mais inutile pour eux de former des généalogistes, leurs racines ne vont pas chercher très loin...

J'étais sans nuance et sans pardon envers ces espèces prétendument vivantes qui sécrètent si peu d'ambitions.

Elles s'imaginent peut-être que la science infuse coule du thé des bois! Leurs cauchemars ne leur causent aucune tension artérielle et n'exigent, de leur matière grise, aucune grille d'interprétation. Leurs cellules ne sont pas programmées pour s'attirer et se haïr, pour s'adorer et se détruire. Je n'avais guère plus d'indulgence envers le règne animal dont les plus nobles représentants forniquent à tour de bras et mettent bas à tous les dix mois...

Par je ne sais quel curieux retour des choses, ces fantasmagories m'ont ramené sur le plancher des vaches. Tout compte fait, il aurait été plus avantageux pour moi – et moins déshonorant – d'hériter d'une mère mélèze. Car la mienne avait fait un tas d'entourloupettes pour se retirer du dossier de ma rentrée.

C'est grâce à l'intervention in extremis de mon père que j'ai pu me procurer mes premières armes d'écolier – crayons, cahiers, règle, aiguisoir, gommes à effacer – sans lesquelles aucun grand garçon ne peut se défendre une fois révolue l'ère de la magie. En dépit de l'inaptitude des mâles au magasinage, mon paternel m'a habillé en neuf, de la tête aux pieds. J'avais une hâte folle d'étrenner mon imperméable jaune moutarde, de loin mon acquisition préférée. Mais je n'ai pas osé le lui démontrer. Mon empressement était incompatible avec sa conception de la virilité.

Le gardiennage est le pire casse-tête pour les monoparentaux aux horaires de travail variables. Mon père cherchait une solution durable à son problème. Mes grands-parents habitaient au diable vauvert et notre budget était trop corsé pour embaucher une gouvernante immigrante. Que ma mère se transforme en baby-sitter deux ou trois soirs par semaine m'aurait fait tomber en bas de ma chaise. Elle ne s'occupait même pas de moi rue des érables! Par acquit de conscience, elle a délégué sa femme de chambre.

Je félicite mon père d'avoir marché sur son orgueil et retenu les services d'Isabelle. À moins d'avoir eu la berlue, leurs contacts d'affaires me semblaient de plus en plus civilisés, de plus en plus ouverts. Comme s'il y avait une fumée de réconciliation dans l'air... Sous son vernis de mari indigné, peut-être bénissait-il sa rivale de l'avoir délivré d'un engagement marital dépourvu de sens – et de l'infâme obligation de sauver les apparences.

J'ai ouï dire qu'Isabelle avait négocié ferme avant d'endosser ses responsabilités de gardienne occasionnelle. En échange de son bénévolat, outre certains avantages marginaux dont on m'a volontairement tenu éloigné, cette perle rare avait obtenu la permission de consulter sur place le *Carnet d'une traversée*. Ainsi que je m'y étais engagé, j'avais exercé mon influence auprès de mon père pour qu'il lui concède ce privilège.

J'adorais qu'Isabelle m'en fasse la lecture, avec des trémolos dans la voix. J'avais une longueur d'avance sur les copains de ma classe qui se laissaient encore bercer par des histoires de vilains petits canards... Haut perchés sur leurs piquets, ces perroquets auraient bien été capables de confondre le sirocco avec le sirop de coco! Pas moi! Chaque fois que ma lectrice tombait sur un mot rare – xylophone, pubis, sophistiqué, synthétique –, elle m'en donnait la définition la plus appropriée au contexte. Mon vocabulaire s'est ainsi rapidement enrichi. Isabelle était mon dictionnaire ambulant. Et l'encyclopédie de ma jeunesse. Elle connaissait tout des chamelles et des chameaux: leur physiologie, leurs mœurs, leurs angoisses, leurs déboires sentimentaux. On aurait dit qu'elle était née dans le désert...

Un soir où j'étais ébloui par l'étendue de son savoir, je me suis souvenu que j'avais un bac à passer. Tout en faisant pivoter dans les airs un crayon fraîchement éjecté de mon aiguisoir-fusée, j'ai couru faire mes devoirs: trois lignes de *bé bé* suivies d'autant de *la la*. Rien de triomphal!

Pour que mon bonheur soit total, ne manquait plus qu'une douce pluie d'automne et, planant sur ma page, l'ombre de mon imperméable.

Une fée engagée

Malgré les quatre mois palpitants que nous venions de vivre ensemble, mon père devenait bougon. Chassez la normalité, elle revient au galop se pendre à votre cou et vous étrangler.

Si deux femmes vivant sous le même toit est inacceptable, est-ce humainement possible de n'en avoir aucune? Que la vie est mal faite! Chaque fois que mon père partait pour l'hôpital, Isabelle arrivait à la maison. J'étais le seul à jouir de sa présence. Nous bavardions comme de vieux copains en riant de tout et de rien. L'état critique de ma mère était le seul sujet tabou entre nous.

Ma gardienne n'était pas en terra incognita chez nous. Elle se sentait d'autant plus à l'aise dans les draps de mon père qu'elle s'y était déjà vautrée avec sa femme. Au risque de généraliser à outrance, je me disais intérieurement: que le monde est petit, surtout le petit monde des lits!

Renouveler le cérémonial préparatoire à la fête de Noël faisait partie des fonctions officielles d'Isabelle. Il lui en a fallu du courage pour mettre la hache dans les anciens modèles! La fée qu'elle a choisi d'incarner était remarquable de sobriété: une jupe à plis continus et à carreaux réguliers, un chandail marine à col roulé. Dans un même souci de simplicité, le décorum a été réduit au strict minimum: un grossier manche à balai au bout duquel elle avait fixé une étoile aussi plate que mate.

Au lieu d'interrompre mes rêves en m'apparaissant au petit matin, elle a frappé un triple toc sur la table où je m'affairais à mes travaux pré-universitaires: des *ba* dodus, des *li* bien faits, d'insensés *la le li bo bu* entre les deux lignes qui leur servaient de garde-fous.

Isabelle menait l'opération avec tant de grâce et de naïveté que j'en étais éberlué. Devant elle, n'importe quel grand garçon aurait fondu comme un glaçon. Ses yeux radieux m'assuraient de toutes les promesses à condition de les supplier avec tendresse et intentionnalité. J'étais certain qu'aucun de mes vœux ne serait, cette fois, balayé du revers de la main en vertu de je ne sais quel arbitraire ou quelle démagogie. Aussi les ai-je longuement mûris...

Réflexion faite, je lui ai demandé un garage tout équipé, un appareil photo et un super-jeu de mécano. Afin de prouver au monde entier que je n'avais pas perdu ma masculinité au contact soutenu de mes deux mères, j'ai aussi commandé un G.I. Joe.

Durant cette période achalandée de l'année, les inter-médiaires entre la métropole et les régions polaires ne savent plus où donner de la tête. Les requêtes enfantines affluent de tous bords, tous côtés. Je jouissais, pour ma part, d'un statut particulier. J'étais le seul protégé d'Isa-belle depuis que son fils l'avait lâchement abandonnée. Certains bébés se plaignent la couche pleine. Naître en So-malie, normal qu'on veuille retourner dans les limbes. Mais vivre au Canada, voyons donc, ça ne se refuse pas! Isabelle et moi échangions depuis toujours de bons et loyaux services. Je n'ai opposé aucune résistance à devenir son enfant adoptif. En plus d'un père-substitut, j'y ai gagné une mère de rechange.

Je ne pouvais pas trouver meilleure courroie de trans-mission entre le père Noël et moi. Isabelle n'écartait aucun moyen pacifique pour atteindre son but. Elle a même bombardé le subconscient de mon père en affichant, sur la porte du réfrigérateur, la liste complète des jouets que je désirais. Ce n'est pas la découverte du bouton-pression, mais encore fallait-il y penser. Dire que ma mère traçait mes commandes dans les airs... Comme si les traîneaux du père Noël sillonnaient l'éther!

La campagne de sensibilisation d'Isabelle s'est étendue jusqu'à Trois-Rivières. Elle a envoyé, en mon nom, une première lettre à mes grands-parents pour leur exprimer mon affection et mon attachement puis une seconde pour leur communiquer mes demandes, coût unitaire et devis techniques à l'appui.

Malgré l'ampleur et la diversité de ses stratégies, Isabelle croyait dur comme fer que nos plus chers désirs s'envolent en fumée si l'on n'a pas une foi inconditionnelle dans le père Noël – celle du charbonnier. Je savais que la pollution l'empêchait d'emprunter les cheminées et qu'il livrait directement ses marchandises aux succursales de Distribution aux consommateurs. Mais je n'avais pas encore démystifié le personnage. J'apprendrai avec consternation, des années plus tard, qu'en plus d'aller chercher mes cadeaux, mes parents devaient également les payer.

En joyeux adepte de la pensée positive, je ne m'endormais jamais plus sans visualiser mon garage à deux étages et mon mécano. À genoux, à mes côtés, Isabelle employait le même procédé en suspendant déjà mon appareil photo au cou de mon G.I. Joe. J'assistais, sans le savoir, à l'émergence de magiciennes d'un nouveau genre qui ne se donnent pas pour mission d'assommer les crânes ou de chavirer les paisibles existences.

Si l'as-reporter du *Guide Mont-Royal* m'avait de nouveau apostrophé, je lui aurais déclaré combien il est stupide de mettre toutes les fées dans le même panier. Car comparées à celles qui paradent dans des tenues sophistiquées – fourreau de satin, diadème perlé –, cette génération spontanée de fées a les deux pieds sur terre et ne se défile pas devant ses responsabilités. J'aurais sans doute poussé plus avant la compromission personnelle en avouant qu'à pareille date l'an dernier, malgré ses accessoires raffinés, ma mère ne m'avait inspiré qu'une froide pitié.

Restait à savoir, quant à moi, si le père Noël avait suivi une évolution parallèle.

Un Noël qui finit en queue de poisson

Le vent avait tourné. Par-delà la conformité de ses artifices – même habit rouge et blanc, même barbe postiche –, le père Noël présentait tous les signes d'une profonde mutation.

Tous mes désirs ont été exaucés. J'ai même reçu une paire de G.I. Joe au lieu d'un seul exemplaire. J'étais comblé! Rien ne résiste aux visualisations conjointes des enfants et des fées. Cette leçon de marketing ne m'a jamais quitté.

La pudeur de mon père s'était envolée en fumée. Ses «ha! ha! mon petit gars» et ses «ho! ho! voici tes beaux cadeaux» roulaient comme des billes sonores dans le corridor. Il riait gras. Il parlait fort. Il chantait haut. Ses airs guillerets contrastaient avec ses vieilles rengaines. Gai et légèrement éméché, son corps gagnait en liberté de mouvement ce qu'il perdait en coordination. À un certain moment, il a même pris ma gardienne sur ses genoux. Du jamais vu! J'étais outré qu'Isabelle défie sa convention collective et se permette une telle encoche à l'éthique professionnelle. Quelle que soit leur ancienneté dans le métier, les fées doivent s'effacer derrière leur patron, pas leur monter dessus! Depuis quand une figure mythique se laisse-t-elle voler la vedette par une soubrette?

J'ai d'abord pensé que ma fée s'assoyait sur mon père parce qu'on était pauvres en chaises. Selon mes constatations ultérieures, cette dérogation n'avait rien à voir avec l'absence de mobilier. Isabelle ne boudait tout simplement pas son plaisir et savait prendre son pied. Loin de l'envoyer paître, mon père a encouragé son geste audacieux. Quel être révolutionnaire! L'opposé du vieillard rougeaud, toussoteux, enclin à pérenniser les règles inviolables du passé.

Mon appareil photo tout nouveau tout beau a immortalisé ce rapprochement inattendu entre le père Noël et sa pendante femelle dans le sillage de laquelle il se flattait d'avoir évolué. Quelques minutes plus tard, la sonnerie du téléphone nous a tous fait sursauter. Ma mère avait ingurgité assez de médicaments pour jouir d'un congé de maternité à perpétuité. L'hôpital des malades tenait à nous en informer.

Isabelle s'est effondrée sur le plancher, près de mon Polaroïd que l'étonnement m'a fait échapper. Encore un Noël qui finit en queue de poisson... Je ne connaîtrai donc pas de mon vivant un party qui a du bon sens! Mais comment s'abandonner à un égoïste tourment lorsqu'une fée tourne de l'œil à vos côtés?

Pour une fois que j'avais l'occasion de pratiquer la respiration artificielle, il fallait que ça tombe sur Isabelle! C'est tout un art d'appliquer sa bouche sur la bouche d'une femme adorable sans verser dans la conquête sexuelle. En sa qualité d'infirmier, mon père a insisté pour prendre ma relève. J'ai refusé. Les princes charmants en mauvaise condition risquent d'enfoncer leur belle dans un irréversible sommeil. J'ai fini mon sauvetage en beauté en enrichissant mes simili-baisers de chatouillements bien placés. Ai-je frôlé une zone érogène? Mes techniques de réanimation se sont révélées d'une efficacité à tout crin.

Mon père était abasourdi par la terrible nouvelle. Pour lui, le majestueux fleuve de la vie se réduisait tout à coup à une flaque d'eau. Au diable l'honneur mâle! J'ai grimpé sur ses genoux et j'ai bécoté ses joues. L'amour, le rêve, la folie, la mort... Devant cette avalanche de désillusions, les gâteaux et sandwichs ne suffiraient bientôt plus à la tâche. J'entendais déjà les rots consécutifs à ses prochains empiffrements.

Mon père était excessivement glouton et ma mère faisait partie de ces excessives impossibles à suivre. Soit qu'elle oubliait de prendre une minuscule pilule contraffective, soit qu'elle avalait tout un flacon d'antidépresseurs. Même si je n'établissais pas encore la différence entre les uns et les autres, je présumais que sa santé aurait été moins menacée avec les premiers.

Le tableau de Klee dont je m'étais privé pendant des semaines n'avait été d'aucun secours pour elle. Moi qui croyais que seule la beauté pouvait juguler la détresse, j'étais perplexe...

Existe-t-il encore un connard pour prétendre que les végétaux et les animaux sont les meilleurs amis de l'homme? Notre sapin est resté illuminé toute la nuit malgré l'énorme tuile qui venait de nous tomber dessus. Un chiot ne nous aurait pas témoigné plus d'amitié, lui qui n'a pas de mots pour dire «je t'aime», en trouve des milliers pour crier «donne-moi à manger».

Mon père et moi avons célébré le Jour de l'an le plus sobrement du monde, dans l'intimité. Nous n'aurions pas été les bienvenus au réveillon de Trois-Rivières. Ma grand-mère condamnait sans appel les élans suicidaires et mon grand-père rejetait sur les épaules de son fils la responsabilité des frasques de son ex-femme. À sa place, tant qu'à ne pas me mêler de mes oignons, j'aurais nuancé mon opinion.

Sachant que la maîtresse en chef nous ferait raconter nos vacances des Fêtes par le menu détail, j'ai pris des instantanés de mon garage *full equipped,* de mes jumeaux G.I. Joe et de mon mécano en pièces. Le relevé demeurait forcément incomplet vu que je n'ai pas trouvé le moyen de croquer mon appareil photo. Quand mon tour de parole est arrivé, j'ai étalé mes photos-souvenirs puis j'ai improvisé.

«Mesdames, messieurs, voici le scoop de l'année: au moment même où je recevais mes cadeaux, ma mère tentait de mettre fin à ses jours. Cela nous a causé tout un émoi. Mon père Noël a dégrisé net fret sec et ma fée a vu une quantité astronomique d'étoiles filer sur le plancher. Qui d'entre vous pourrait jeter la première pierre à ma mère, célibataire contrariée, sorcière bizarrement attifée, douteuse diseuse de bonne aventure... Le drame est inhérent à sa nature. Ces dernières années, elle avait distribué des tonnes de calmants sans jamais s'en administrer à elle-même. Faut le faire! Mais le 25 décembre, cric-crac-croc, ses nerfs ont craqué... Ma mère a plongé tête première dans un océan de tranquillisants. Il y a un bon Dieu pour les naufragées: l'overdose étant survenue pendant son quart de travail à l'hôpital, le rescapage n'a pas tardé. Lavage d'estomac, sérum et tout le tralala...»

Ici, j'ai bu une gorgée d'eau pour me rincer le dalot. Mes camarades espéraient sans doute que j'en aie terminé avec cette histoire macabre, mais j'ai continué sur ma lancée: «Ma mère est maintenant hors de danger. Ma fée a repris ses esprits. Et mon père s'est quelque peu raplombé. Sans vouloir les affoler, je crains une récidive car cette femme n'aspire qu'à une chose: être définitivement éjectée de sa bulle. Et, si j'en crois mon expérience, en vertu de la pensée créatrice, tout ce qui est ardemment désiré arrive...»

J'ai particulièrement soigné la chute de mon laïus: «Mesdames et messieurs, je pressens que cet incident aura de formidables répercussions sur mon orientation future. Je remets déjà en cause le sujet de mon mémoire de maîtrise. J'aimerais désormais mener une étude comparative sur l'influence des œuvres artistiques, de peu et de grande valeur, dans la stabilisation de la maniacodépression.»

J'ai regagné mon pupitre sans être ovationné comme l'avaient été tous mes prédécesseurs. Bah! Je n'allais tout de même pas miser sur des encouragements de ce genre pour répandre mes étincelantes connaissances.

Afin de dissiper le malaise à couper au couteau dans cette classe de bébés obsédés par les poupées frisables et les fusées éjectables, la maîtresse a immédiatement enchaîné avec la dictée: «Léo a vu le boa, Léa a vu le cacao, Samu a vu le bobo.»

Un printemps étourdissant

En dépit de son air bon enfant, le mois de mai fait tout exploser. J'en avais été le témoin impuissant, l'an dernier, lors de l'éclatement de notre cellule familiale. Beaucoup d'eau avait coulé sous les ponts depuis, et nombre de ponts s'étaient écroulés.

À cause de sa cyclothymie galopante, ma mère se recroquevillait de plus en plus sur elle-même. Son ex-mari était devenu un pourvoyeur à temps plein et un tuteur occasionnel. C'était rendu qu'Isabelle jouait au père et à la mère avec moi! Au moins, pendant ce temps, j'échappais aux dangers de sclérose auxquels s'expose un enfant qui n'a aucun parent de remplacement.

Je suppose que mon père n'avait pas assez de neurones dans la caboche pour préparer tout seul mon grand jeu de Pâques. Il lui fallait absolument une assistante. Isabelle est venue lui prêter main-forte pour cacher mes œufs-surprises un peu partout dans la maison. C'était admirable de sa part, mais elle aurait dû repartir une fois ses bonnes œuvres accomplies. Pourquoi rester chez nous? Cette nuit-là, mon père ne travaillait pas! Il n'y avait plus de divan dans notre salon depuis belle lurette et elle se serait sentie à l'étroit dans ma couchette. Il était donc fatal qu'elle couche avec mon père. Pas assez d'avoir désobéi aux règles de sa confrérie le jour de Noël, elle dégradait le respectable passe-temps de nurse d'enfants. Je n'avais pas plus d'éloges à adresser à mon paternel. Depuis quand un travailleur autonome a-t-il besoin d'une gardienne de nuit dans son lit?

Le lendemain matin, je n'avais pas du tout envie de me mettre à quatre pattes comme un chien pour déterrer mes os en chocolat. Quitte à gâcher le plaisir de mon père et de sa proche collaboratrice, j'ai repéré tous mes œufs d'un seul trait. Je ne m'étais jamais servi aussi intelligemment de mes pouvoirs paranormaux.

Sous des allures postmodernes, le prototype de fée élaboré par Isabelle était anachronique. Ce n'est pas parce que la réserve est sa marque de commerce qu'une femme doit porter un tailleur noir le jour de la Résurrection des morts!

Je m'ennuyais des tenues bariolées de ma mère dont, de toute évidence, Isabelle ne partageait pas les talents culinaires. Le prétendu régal dont elle avait garni notre table n'aurait pas remporté une seule fourchette lors d'un concours de gastronomie régionale. Moi qui détestais le jambon à l'ananas...

Rendue au dessert, Isabelle a offert un bel œuf enrubanné à mon père. Hallucinant! J'avais le sentiment de rejouer la même séquence du même court métrage tourné à douze mois d'intervalle. Mon père en était toujours le jeune premier et moi, l'éternel figurant. Isabelle était la doublure de ma mère, employant la même astuce pour transmettre ses messages à son partenaire. Je me suis juré d'échapper à son effet caméléon si un jour je succombais à la passion. Puis j'ai calmé mon anxiété. À cause de sa provenance, cet œuf géant devait cacher un germe moins néfaste que celui de l'an dernier.

Cette autosuggestion m'a trompé.

Sous des mots que seule la joie avait pu inspirer, des mots qu'on étreint sur son cœur comme un enfant mortné, sous des mots de lumière couvés dans la noirceur, l'œuf contenait une déclaration d'amour à peine voilée...

Mon père s'est jeté dans les bras d'Isabelle en l'appelant «mon trésor» comme s'il l'avait déterrée au pic et la pelle, à la sueur de son front, dehors...

Avoir eu un engin motorisé à ma disposition, j'aurais fui comme un trouillard sur la rue Boyer. Il faut croire que j'avais encore grandi puisque je me suis mis à échafauder une structure complexe avec mon mécano comme si rien d'incongru n'était arrivé.

Mais j'étais catastrophé. Les deux êtres les moins stéréotypés de la terre singeaient tous les autres adultes en créant une autre cellule prédisposée à devenir cancéreuse. J'aurais tellement aimé que mon père ne s'enlise pas dans un pareil bourbier sans m'en parler. Je n'avais pas de conseils à lui donner, mais je lui aurais posé la question de fond: *What does woman want?*

Voilà qu'après l'avoir subjuguée, Isabelle abandonnait froidement sa meilleure amie qui avait déjà trahi son propre mari pour elle. Ces rebondissements à dix sous ne me disaient rien de bon. J'avais peur pour mon père – l'amour pâlit avec le temps comme une cape de velours sous un soleil persistant. J'avais la frousse pour bibi aussi. Notre bienheureux tandem en sortirait-il indemne?

J'étais aussi sonné qu'une toupie. Je ne parvenais plus à mémoriser mes leçons et à faire mes devoirs. Je passais des nuits blanches à compter les fourmis qui me chatouillaient les jambes. J'avais mal partout. Une barre de fer me ceinturait l'abdomen, mes poumons étaient pleins de crachats, le jambon à l'ananas m'était resté sur l'estomac. Mon rhume de cerveau a dégénéré en grippe virale et ma sinusite s'est doublée d'une otite. J'avais mal aux os iliaques. Mes orteils étaient comprimés dans mes petits souliers. J'étais à bout de résistance. Ma pompe cardiaque s'apprêtait à faire sauter la baraque et mon système immunitaire ne levait pas le petit doigt pour moi.

À quoi bon avoir eu six ans si c'était pour me taper un printemps aussi étourdissant!

L'heure avançait. Les jours allongeaient. Les bourgeons se métamorphosaient en quelque chose d'autre. Les tortues muaient insensiblement sous leurs carapaces. Le cœur des grenouilles se dilatait. Les lapins se multipliaient dans les confiseries. Les ours sortaient enfin de leur léthargie. Les cages s'entrouvraient. La neige se liquéfiait. Les cordes à linge grinçaient. Les patinoires fondaient. L'herbe verdissait. Les tulipes fleurissaient hâtivement. Les affluents se jetaient dans le Saint-Laurent. Les érables coulaient à flots. Les pauvres s'endimanchaient. Les fins de mois s'arrondissaient. Les pies jacassaient sur les galeries. Les rigoles serpentaient dans les cours d'écoles. Les enfants crayonnaient des saintes vierges sur les trottoirs. Les veuves perdaient toute notion du noir. Les idées circulaient. Les sentiments déferlaient par torrents. Les nids s'évacuaient. Les cuisses s'assouplissaient. Mon père bondissait. Isabelle roucoulait.

Ces manifestations de vitalité m'assommaient littéralement. Je conjurais tous les saints de ma grand-mère de me donner la décence de me taire si, fidèle à ses principes pédagogiques, la maîtresse invitait ses perroquets à lui livrer les faits saillants de leur congé pascal.

La perspective d'un deuxième round d'improvisation me donnait des sueurs froides. Car, cette fois, ce n'était pas ma mère qui avait sombré dans le coma. C'était moi.

Une crise existentielle

Si j'avais été initié aux lois de l'optique au lieu de faire des gribouillis d'enfant d'école, j'aurais été en mesure de poser le bon diagnostic: mon troisième œil accusait un début de myopie. Il percevait les événements lointains de mon existence, mais il n'était pas foutu de m'annoncer les incidents de la semaine suivante. Jusque-là, mes vaticinations m'avaient toujours donné l'heure juste. Même si elle était visible à l'œil nu, je n'ai pas vu se tramer la romance entre Isabelle et mon père. Pour la première fois de ma vie, j'ai été surpris.

Mon sixième sens était tout déréglé. J'étais paniqué. S'agissait-il d'une panne intermittente? La méchante voix de mes entrailles ne me parlait plus qu'en anglais – du charabia! – et mon auriculaire me faisait des cachotteries. Rongé par un virus inconnu, j'ai dû l'envelopper d'un pansement au volume impressionnant. S'il fallait qu'il soit atteint d'une maladie chronique! Personne ne m'avait prévenu que je passerais de la clairvoyance infantile à l'acné juvénile, sans transition aucune.

Je n'arrivais plus à démêler l'écheveau de mes pensées. Celui qui perd confiance en son système de communication interne prend facilement des vessies pour des lanternes. J'étais mal à l'aise partout. Surtout à l'école Saint-Rodolphe où j'en avais ras le bol de répéter en une incantation vaudou *vi va ve vi vo vou*. J'aurais étripé ces ânons qui se prenaient pour Einstein en personne maintenant qu'ils savaient compter jusqu'à cent vingt-trois. Ma motivation d'apprendre faiblissait d'heure en heure. J'avais perdu ma flamme. Mon bulletin accusait une sérieuse dégringolade tant sur le plan du comportement social que sur celui des acquisitions abracadémiques.

Mes journées démarraient le plus souvent qu'autrement par des batailles d'oreillers. J'ai trouvé de parfaits boucs émissaires de ma colère en la personne de mes jouets. J'ai rabroué mon jeu de mécano parce qu'il était incapable de rivaliser avec le lobe temporal de mon cerveau. J'ai reproché à mon G.I. Joe d'être aussi décadent qu'une Barbie. J'ai remisé mon camion de pompiers dans mon garage et condamné ma bicyclette à devenir stationnaire. J'ai collé ma fusée au plancher pour l'empêcher d'atteindre Vénus, Mars ou Jupiter. Fallait-il que je sois timbré, j'en ai même voulu à mon imperméable d'être jaune moutarde!

J'étais malheureux comme une pierre. Ma détresse alimentait abondamment les conversations. Tout un chacun y allait de ses supputations.

Selon la maîtresse en chef, n'ayant pas encore fait le deuil de la maternelle, je n'avais pas absorbé le choc de mon enrégimentation dans l'armée. Faux. Je m'étais peu à peu acclimaté à cet environnement concentrationnaire. Je n'avais aucunement l'intention de régresser à une vie antérieure.

Ma grand-mère présumait, pour sa part, que je ressentais à retardement les effets du suicide raté de ma mère et qu'un envoi massif de sucreries chasserait mes idées noires. C'est bien simple, je l'aurais passée au tordeur! Cette technique de réhabilitation était digne des femmes de Cromagnon. J'ai écrapouti ses maudits biscuits au gingembre. J'ai répandu plein de miettes sur le parquet de ma chambre et refusé de passer l'aspirateur.

J'ai failli convoquer une conférence de presse pour dénoncer tous ces prophètes de l'Orient qui mentent comme ils respirent – yoguiquement. Moi, l'enfant bien-aimé du cosmos infini? Voyons donc! Depuis quand un fils vit-il à des années-lumière de son père?

J'avais honte de ma mère qui s'était libérée de son mari pour mieux lui refiler sa colocataire. Ce n'était pas raisonnable, elle n'avait même plus d'amie de cœur avec qui pousser son chariot d'épicerie!

J'étais furax contre mon père qui chambardait notre vie privée en y introduisant un corps étranger. J'ai réalisé qu'il était prêt aux pires bassesses pour ne pas manquer de sexe, jusqu'à s'enticher de son ennemie jurée! Comme je n'étais pas masochiste de père en fils, je le punissais d'avoir retourné sa veste en jouant le mort lorsqu'il m'adressait la parole. Il m'aurait tendu la main que j'aurais craché dessus.

J'étais confus. Toutes les traditions étaient chamboulées. Les fées des étoiles n'ont pas le droit de folâtrer autour du père Noël. À défaut d'établir entre eux une saine distance professionnelle, leurs protocoles respectifs les enjoignent d'entretenir une relation platonique. Sur ce point, le Canada est d'un laxisme! Dans les républiques soviétiques, ceux et celles qui dérogeaient à ces règles de conduite perdaient leur carte de membre. On n'en entendait plus jamais parler.

J'avoue que je m'étais trompé sur toute la ligne. Isabelle m'avait dorloté pendant toutes ces années dans le but inavoué de mettre le grappin sur mon père. Les femmes d'aujourd'hui sont peut-être innovatrices, mais elles ne sont pas fair-play.

Cette trahison m'était insupportable. Je la tournais parfois à mon avantage. Je me disais: cette fine stratège se rapproche de mon père pour enfin partager le même toit que moi. Les jours où j'appliquais ce baume sur ma plaie, je ne lui lançais pas ces bêtises bien tournées que je lui avais inventées. Comment continuer à prétendre qu'elle était une intime de la famille, un point c'est tout? Isabelle, c'était ma gardienne de prédilection, l'ex-coqueluche de ma mère et l'actuel trésor de mon père. Le pivot de chacun de nos trios.

C'était beaucoup, presque trop. Je boycottais toutes ses séances de lecture du *Carnet d'une traversée*. Je n'en pouvais plus d'entendre ses trémolos dix fois d'affilée! C'était rendu que le mot «sable» me donnait la chair de crabe! Soucieuse de mon bien-être, Isabelle tournait la page et m'invitait à aller au parc ou au dépanneur, à «nous» secouer un peu, à sortir de «notre» torpeur... Alors qu'elle s'éclatait chaque fois que les horaires de mon père le lui permettaient, madame faisait mine d'avoir autant besoin de distractions que moi. De la pure manipulation! Pourquoi me faire consulter une spécialiste des enfants récalcitrants? C'est elle qui se comportait de façon inadmissible! J'ai sciemment loupé le premier rendez-vous qui m'avait été fixé et tous ceux qui devaient s'ensuivre.

Je m'amusais à mettre des bâtons dans les roues et des cailloux dans tous les souliers à ma portée. Ça ne pouvait plus marcher. Le soir de mon anniversaire, mon père m'a proposé un cessez-le-feu. J'ai accepté.

Une fois à table, je ne sais quelle mouche m'a piqué, j'ai changé mon plat de résistance en bouillie pour les chats. J'ai inondé de lait écrémé ma purée de pommes de terre et séparé chaque grain de blé d'Inde du hachis de viande grillée qui heurtait mes nouvelles croyances alimentaires. J'ai assez maugréé pour que mon père commande une pizza végétarienne et un gâteau aux graines de pavot sans crémage et sans gras. J'ai soufflé mes sept bougies de fête aussi faiblement que si j'étais en phase terminale et fait une grimace transcendantale à chacun de mes cadeaux. Sauf au matériel complet d'aquarelle que ma mère s'était enfin décidée à m'offrir, un an plus tard dans les Maritimes. Un éclair de génie!

Du jour au lendemain, ma vie n'a plus été la même. J'ai fait un premier dessin à main levée, sans trop y penser, comme ça vient, comme tout vient au monde... Horrible, cet orage électromagnétique! Le ciel qu'il traversait en était pâle de terreur. Au milieu du paysage, j'ai placé un cœur transpercé de trois longues épées. J'ai tracé un halo de lumière autour de lui, l'orage s'est calmé de lui-même et le cœur a cessé de saigner. J'ai ajouté un arc-en-ciel pour illustrer le phénomène. Peut-être ai-je versé dans quelques symboles convenus... Au petit matin, je n'avais plus la force d'être personnel.

À première vue, mon deuxième tableau semblait plus réussi. Un ciel tourmenté, des pics et des glaciers d'un vert acidulé. Un palmier qui se dressait en travers. Les glaciers se fondaient dans le feuillage du palmier. C'est après que les choses se sont gâtées... Une femme en robe blanche ouvrait la gueule d'un lion affamé. Qu'est-ce qui m'a pris de poser la tête de la bête sous l'aisselle de la demoiselle? Dans une telle situation, aucun fauve ne rugirait dans les brancards. Sans en faire un usage immodéré, la femme extériorisait une grande puissance. À côté d'elle, mes glaciers avaient l'air de popsicles à la limette et mon palmier, d'un plumeau bon marché.

Ces succès mitigés ne m'ont pas ralenti. Je me levais tôt, je me couchais tard, je sautais un repas sur deux, je ne me lavais plus ni le cou ni les oreilles, je n'avais pas une seconde à perdre avec ces frotti-frotta de la vie quotidienne, je ne répondais ni à la porte ni au téléphone, je ne mettais plus le nez en dehors de ma chambre-atelier. Retourner sur les bancs d'école aurait brouillé mes ondes alpha. Mes amis du quartier racontaient que j'avais une rechute de varicelle et qu'il y avait peu d'espoir, cette fois, que je m'en réchappe. Ces sottises ne m'atteignaient pas. S'il le fallait, j'étais disposé à passer pour un paralytique pour justifier mon absentéisme.

Je peignais sans arrêt: des lapins qui couraient autour de mon lit, des caravanes de chameaux au repos, des serpents ondulant irrévérencieusement, des bébés pommiers, des couronnes de fruits confits, des pluies de confettis, des rossignols en plein vol... Certaines de mes œuvres tenaient du figuratif, d'autres de l'art abstrait. Je laissais à chaque fois le pinceau décider pour moi. Même si j'étais en rogne contre lui, mon père avait assez de flair pour ne pas assimiler ma crise existentielle aux écarts névrotiques de ma mère. Une fièvre créatrice n'est pas une crise de nerfs.

Quelques semaines plus tard, les murs de notre logement étaient recouverts de gigantesques fresques et ma bonne humeur était entièrement revenue. Méconnaître l'avenir ne me causait plus aucune espèce de torture. J'adorais progresser d'expérience en expérience comme le commun des mortels qui ne voit jamais rien venir d'avance. Ce nivellement par le bas devait m'attirer une foule de nouveaux copains disposés à encourager mes futures initiatives.

Autre changement de cap. Si la Californie n'était pas encore ensevelie sous les débris, dans quinze ans d'ici, je m'inscrirais à l'un de ses collèges de parapsychologie et axerais mes recherches doctorales sur les effets anxiogènes des interruptions de voyance chez les pré-pubères. J'obtiendrais par la suite un poste d'enseignant permanent à l'Université du Québec à Trois-Rivières où, entre deux cours magistraux, j'irais déposer des gerbes de fleurs sur la tombe de ma grand-mère et une poignée d'orties sur celle de son mari.

Ce n'est pas le moindre mérite de cette période prolifique que de m'avoir révélé le nom de mon âme. J'ai su, un soir d'aquarelle intense, qu'enchâssée dans de vulgaires organes, ma conscience de toujours s'appelait Diamant.

Sans peinture à l'eau, je le jure, je n'en serais pas sorti vivant. Autrement dit: ma suicidaire de mère m'a sauvé la vie.

Des erreurs monumentales

Je suis sorti dignement de ma chambre. Il n'y avait plus en moi que traces de rage – comme on dit traces d'hydrates dans les tomates, traces de gras sur la nappe... Depuis qu'Isabelle avait installé ses pénates sur la rue Resther, mon père n'avait jamais été aussi épanoui. En dépit de l'échec de sa dernière union, j'avoue qu'il était un conjoint idéal.

Je n'éprouvais plus de jalousie à son égard. On n'a qu'une mère, à ce que l'on dit. Moi, j'en avais officiellement deux. L'une, de sang. L'autre, taillée sur mesure pour Diamant.

Lorsqu'Isabelle et ma mère se penchaient au-dessus de mon berceau, elles formaient à mes yeux de nouveau-né une seule masse compacte et leurs poitrines, une même fontaine rafraîchissante. Je me débattais comme un diable dans l'eau bénite pour distinguer l'une de l'autre. L'état végétal des nourrissons est un leurre. Mes pleurs et grincements de dents ne traduisaient pas invariablement une envie de boire et de déglutir. Les puéricultrices se montreront sans doute sceptiques mais, en réalité, je me rebellais d'avoir, en plus d'un père à combler, deux mères à couver. J'avais beau avoir hérité des épaules de Campeau, j'hésitais à porter un tel fardeau. Certains n'auraient pas reculé devant l'éventualité. D'autres auraient déguerpi sur-le-champ. Pour ma part, j'ai pris le temps de jongler à mon sort.

Tous les bébés ne sont pas des débiles mentaux. Durant les premiers mois de mon existence, j'ai atteint des sommets inégalés sur le plan de l'activité cérébrale et exercé mon libre arbitre plus tactiquement qu'il n'y paraissait. Mon jardin intérieur était luxuriant. Chaque fleur qui poussait épousait la forme d'une pensée.

D'un côté, j'étais anxieux de redevenir un Terrien. De l'autre, j'avais peur de perdre ma sécurité immatérielle et de renoncer à ce monde qualifié de meilleur. Je n'étais pas certain de désirer cheminer aux côtés d'une femme déboussolée et d'un homme timoré. Je me méfiais de cette supposée alchimie sentimentale qui attire l'un vers l'autre deux êtres à ce point dissemblables. J'ai dû livrer de valeureux combats métaphysiques avant de m'insérer dans cette famille à haut risque. Le jour où j'ai accepté, mes deux mères se sont précipitées à la clinique médicale à cause de l'apparition sur mes membres inférieurs de plaques sensibles. Les peaux de roux captent tout.

J'ai eu la chance de tomber sur une lignée où l'on n'était pas alcoolique de père en fils. Je n'ai pas développé de dépendance à la bouteille, passant sans heurts de la tétine au pâté chinois. Je m'étais juré de ne jamais être aussi chiant que ma mère et de faire la gloire de mon père.

J'ai tenu parole et terminé ma première année d'école sur le podium. J'ai passé avec brio mon examen de vocabulaire et obtenu une note mirobolante en calcul mental. Une incontestable réussite! N'empêche, j'ai détesté être enfermé dans une caserne durant le mois de juin. Si j'étais ministre de l'Éducation, je donnerais ordre de renverser les proportions. Dès les beaux jours du printemps, tous les enseignements seraient dispensés dans les cours de récréation et les élèves entreraient deux fois par jour dans le bâtiment scolaire pour se mettre à l'abri des rayons UV. L'été, les classes se tiendraient à aires ouvertes et se dérouleraient en circuit fermé l'hiver.

Pour une fois, j'enviais certaines représentantes du règne animal. Malgré leur lenteur proverbiale, les tortues évoluent dehors. L'école est une carapace sur le dos des enfants. Elle porte atteinte à leurs vertèbres lombaires et les ampute d'une légèreté fondamentale. Ce sont ces assertions que je voulais désormais étayer et défendre énergiquement devant un jury de savants. Le fait d'abandonner mes projets précédents m'inquiétait. Je n'avais pas aussitôt ouvert un dossier que je le refermais. Les hommes sont-ils génétiquement constitués pour changer d'idées? J'ai été rassuré sur mon instabilité quand j'ai appris que seuls les fous ne changent pas d'idées.

Mon grand-père ne devait pas être sain d'esprit puisqu'il creusait toujours le même sillon. Il est tombé à bras raccourcis sur mon père à cause de l'alliance informelle qu'il venait de conclure avec Isabelle. De son point de vue, la métropole comptait assez d'hétérosexuelles pour que son fils trouve une compagne moins compromettante. Ma grand-mère s'est montrée aussi malveillante envers notre nouveau triangle. Les personnes âgées sont tout à fait déphasées. Chaque fois que leur progéniture fait un bond en avant, elles se retournent en arrière. Avoir été buté, moi aussi j'aurais continué à faire l'apologie des tandems père-fils et à dire que le monde appartient aux monoparentaux.

Les petits doigts souffriraient-ils, comme les grands-mères, de sénilité précoce? Le mien ne pronostiquait plus l'avenir. Mais il se plaisait à jeter un éclairage inédit sur les faits de mon passé. Grâce à lui, j'ai eu l'illumination de ma vie.

J'ai vu qu'Isabelle, mon père et moi formions la cellule originale de laquelle la précédente était une esquisse, un brouillon, un bout d'essai cinématographique, un exercice de style, une répétition.

J'ai vu que mon père traînait dans les bars de Trois-Rivières parce qu'il en avait soupé de la vindicte de mon grand-père. Il serait déménagé à Montréal pour échapper à l'emprise de ma grand-mère, non par amour démentiel comme il s'entêtait à le croire.

J'ai vu que ma mère était une pionnière dans le domaine des mères porteuses, Isabelle n'étant pas assez performante pour procréer deux garçons à la fois, malgré un charme fou et des qualités exceptionnelles. L'oubli d'un anticonceptionnel ne relève pas toujours d'un acte manqué. À cet égard, ma mère devait être exonérée de tout blâme. Sa grande amie l'avait télépathiquement chargée d'engendrer un bébé-substitut au cas où, devant l'état lamentable de la planète, le sien prendrait la poudre d'escampette.

J'ai vu qu'Isabelle ne s'était pas entichée d'une femme pour le seul plaisir de faire jaser les commères. Si j'avais collé aux jupes de ma mère biologique, je parie qu'à l'heure actuelle je serais un zombi.

J'ai vu – ne me demandez pas comment – que j'avais vécu trois vies abracadabrantes en sept années d'existence: une cellule familiale, un noyau de mâles, un triangle amoureux. Qui dit mieux?

Somme toute, mon père s'était trompé de génitrice, Isabelle de fils et moi de mère. Des erreurs monumentales! En reconstituant notre famille d'origine, nous avions tous trois largement réparé les nôtres. Ma mère, elle, attendait son heure.

De merveilleux adieux

Un an jour pour jour après la découverte du *Carnet*, j'ai planté un fleurdelysé à l'endroit précis où il avait été déterré. Cette cérémonie commémorative a consisté en un salut au drapeau dénué de tout patriotisme. Durant l'instant de recueillement qui a suivi, le sol s'est fissuré sous mes pieds et une petite source a jailli.

J'ai passé les jours suivants dans un état second. Comme un moine dans sa cellule à ciel ouvert, je contemplais ma source de l'aube au couchant. J'avais eu la permission de coucher à la belle étoile pourvu que je ne néglige pas ma toilette du soir et mes ablutions matutinales.

En tant que premier témoin oculaire de l'événement, j'en ai tiré une série de photographies. Comment aurais-je pu garder le secret pour moi? Mes copains s'agglutinaient dans ma cour et mes parents de fait ne s'en éloignaient jamais. Mon père se cassait les méninges pour expliquer rationnellement le phénomène alors qu'Isabelle reconnaissait d'emblée le caractère surnaturel de mon *Aqua Faïenca*, dénomination latine d'une ressource purement québécoise. J'en ai conclu que les femmes font moins de chichi avec l'inouï.

À mon don de précognition, je joignais déjà un solide sens des affaires. J'avais beau ressembler à mon père comme deux gouttes d'eau, j'avais hérité de la mentalité mercantile de mon grand-père. Il me fallait à tout prix rentabiliser ma trouvaille dont l'énergie n'était sans doute pas renouvelable.

Isabelle et mon père sont devenus mes principaux associés. Après avoir enregistré ma raison sociale, ils ont fait imprimer des centaines d'étiquettes à apposer sur des contenants d'un litre pour les indispositions individuelles et sur d'autres de format familial pour les malaises épidémiques.

Par mesure de prudence, j'ai gardé dans ma chambre sept échantillons scellés au cas où certains scientifiques exigeraient, pour y croire, d'indubitables analyses de laboratoire.

J'ai eu la bonne idée de délayer quelques gouttes de peinture à l'eau dans mon *Aqua Faïenca* pour la rendre plus attirante.

J'ai conservé une bouteille d'indigo en réserve. Alertée par les médias, qui sait si l'auteure du *Carnet* ne reviendrait pas un jour sur les lieux de son drame.

J'en ai versé une ou deux larmes de rosé dans un élégant flacon afin qu'Isabelle s'en vaporise les parties génitales si, malgré son doigté, mon père lui faisait mal.

Destination Tombouctou, j'ai imbibé un buvard d'un peu de violet, dans l'espoir qu'en le mâchouillant mes grands-parents retrouvent leur jeunesse d'antan.

Je me suis découvert des talents de prédicateur. Bien entendu, je prêchais pour ma paroisse. J'assurais les futurs utilisateurs qu'en plus de ne produire aucun effet secondaire, mon eau de source les aiderait à tout prendre en patience – l'amour, le rêve, la folie. Voilà pourquoi, lors de mes livraisons hebdomadaires, j'en laissais des gallons d'orangé à la résidence de ma mère, en alternance avec du turquoise.

Regroupés en six équipes, les volontaires faisaient la cueillette de mon eau-de-vie chaque jour de la semaine, à l'exception du dimanche où elle s'écoulait en pure perte.

Mes employés ne réclamaient ni salaire ni pourcentage. Ils travaillaient pour la gloire et les prunes, suivaient mes horaires à la lettre et respectaient les règles minimales d'hygiène édictées par la Régie des eaux inusitées. Faire partie d'une entreprise alternative les revalorisait. Je n'étais pas avare de compliments. Je savais les encenser au moment opportun.

J'assumais une direction collégiale de ma PME – petite maison d'embouteillage –, mais j'ai eu tort de m'engager dans la mise en bouteilles sans avoir planifié auparavant une méthode d'écoulement. Une quantité considérable de contenants risquaient ainsi de me rester sur les bras. Un coup de barre s'imposait de toute urgence si je ne voulais pas déclarer forfait.

Isabelle a installé un kiosque de vente dans ma cour: ballons gonflés à l'hélium, guirlandes de papier crêpé et tout le tralala... Mon père a placardé la ruelle d'affiches annonçant d'importants rabais pour les bébés mal en point et les vieillards en voie d'extermination. Malgré ce branle-bas de combat, les gens du voisinage continuaient à consommer plein de médicaments trafiqués. Heureusement qu'on ne m'a pas sommé de comparaître devant l'Ordre des pharmaciens pour cause de remède clandestin. La Corporation des médecines douces, qui m'aurait défendu pouce par pouce, n'était pas encore constituée.

Mes collaborateurs immédiats estimaient que je devais investir dans une coûteuse campagne publicitaire. Je me réjouis aujourd'hui de m'être fié à mes antennes et d'avoir plutôt misé sur la diversification de mes produits.

J'ai mis les ciseaux dans tous mes dessins. Les centaines de bouts d'aquarelles signés Samuel m'ont valu des rentrées d'argent inattendues. Le tableau du cœur transpercé des trois épées et celui de la femme au lion, que j'avais fait laminer, ont été achetés à prix fort. J'ai aussi proposé à ma clientèle de superbes photos couleurs de ma source transfigurée. Succès sans précédent. Nous avions du mal à répondre à la demande. Avant de déposer l'original du *Carnet d'une traversée* aux Archives nationales, j'en ai fait des tirés à part. Les exemplaires, numérotés, se sont envolés comme des oiseaux vers les pays tropicaux. Je me disais en moi-même: décidément, le Plateau regroupe plus de poètes que d'infirmes et de malades. En bout de course, j'ai vendu des rafraîchissements maison pour couvrir mes frais d'exploitation. Toutes proportions gardées, mes affaires étaient aussi florissantes que celles de mon plus proche compétiteur: le dépanneur.

C'est durant cette période exaltante, si je ne m'abuse, que j'ai perdu toute velléité de maîtrise ou de doctorat. L'organisation de mon réseau commercial n'exigeait de ma part aucune connaissance savante. Quelque chose me disait qu'en moins de vingt ans, une proportion égale de pèlerins des deux sexes afflueraient vers Montréal pour tremper leurs lèvres dans mon *Aqua Faïenca* dont la réputation surpasserait l'huile de saint Joseph, impuissante à soulager les maux de ce siècle. Article-vedette dans les grandes chaînes naturopathiques américaines, mon eau miracle déferlerait par la suite sur la communauté européenne. Pour assurer la validité de ma crénothérapie, je devrais trier mon personnel itinérant sur le volet et quadrupler mes effectifs locaux sans toutefois renoncer à mon leadership. Aucun parchemin universitaire ne me procurerait autant d'aisance financière et de notoriété. Cette pensée m'a plus relaxé qu'un massage californien.

Avant que l'école Saint-Rodolphe ne sonne le glas de ce fastueux congé d'été, j'ai dressé mon premier bilan financier. Je n'avais pas créé assez d'emplois pour être désigné bienfaiteur de l'humanité, d'accord, mais les bases économiques de mon entreprise étaient bel et bien jetées.

Notre triumvirat a monté un dossier de presse des plus étoffés. Je m'attendais à ce que l'hebdo de mon quartier fasse le suivi de mon histoire. Mais non! La rédaction a tout mis ça au panier! J'occupais un siège d'administrateur, je n'étais plus un bon filon à exploiter!

Depuis que mon eau de faïence lui servait de lotion après-rasage, mon père prétendait que toutes les infirmières de l'hôpital lui couraient après. J'ignore s'il baisait entre deux civières. Chose certaine, je ferais fortune si ma source recelait la moindre propriété aphrodisiaque. Je n'osais en imaginer toutes les applications possibles. Il me suffirait, par exemple, d'en pulvériser une mince couche sur les préservatifs pour intensifier la jouissance ou d'ajouter certains ingrédients chimiques au liquide de base pour le rendre sûrement contraceptif.

Le tapis rouge se déroulait devant moi... J'étais promis à un avenir flamboyant.

Mon euphorie s'est transformée en réalisme cru lorsque j'ai appris que ma mère venait d'être mortellement heurtée par une voiture. Quand je suis arrivé sur les lieux, l'as-reporter rêvait déjà d'étaler la manchette à la une de sa feuille de chou, les marchands de l'avenue du Mont-Royal vitupéraient contre le chauffard qui avait violé les limites de vitesse permises en zone commerciale, le Regroupement des piétons faisait déjà circuler une pétition.

La Ligue anti-suicide aurait fait plus de bruit si elle avait su que ma mère s'était elle-même jetée sous les roues de la voiture incriminée. J'étais le seul à détenir ce renseignement de tout premier ordre. J'ignorais, par ailleurs, si cette démone avait accédé à l'autre monde sur un *high* ou sur un *down*, si elle avait dégringolé à la case départ à dos de serpent ou grimpé au ciel avec une échelle. En travestissant son départ volontaire en accident déambulatoire, ma mère avait atteint un sommet dans l'art du camouflage. La vie a de ces détours qui sont parfois des raccourcis.

La réputation des Campeau avait beau être sauve, je devais me rétracter. Mon *Aqua Faïenca* n'était pas la panacée universelle. J'ai dû rayer de ma publicité «pouvoir garanti ou argent remis» et cesser toute comparaison avantageuse avec le lithium. J'aurais peut-être dû concocter des mélanges rares pour venir à bout de la neurasthénie de ma mère au lieu de lui fournir des gallons monochromes. Mais à quoi bon me morfondre en regrets? Quand c'est rendu qu'une catholique préfère le Vendredi saint au jour de Pâques, le meilleur élixir n'y change rien...

J'ai gracieusement octroyé un congé de mortalité à mes subalternes que la disparation de ma mère n'avait pas attendris. J'aurais été mal venu de revendiquer auprès d'eux un statut d'orphelin. Ils voyaient bien que j'avais encore une mère à tout faire!

Mon père s'est porté acquéreur d'un cercueil en érable. J'étais désappointé. Pour que sa femme meure comme elle a vécu – en état d'apesanteur –, il aurait dû louer une navette spatiale.

Je n'avais jamais mis les pieds dans un salon mortuaire. Éclairage tamisé, odeur de renfermé, aucun jeu de société pour se changer les idées, pas de walkie-talkie pour communiquer avec ses amis. Le lieu n'était pas aménagé pour le confort des survivants. C'est pourtant avec nous que les croque-morts font leur argent! On serait tellement plus à notre aise dans des cuisines funéraires: une grande table, plein de boustifaille et de quoi lever nos verres...

Ma mère-substitut portait sa longue robe de satin blanche et son ceinturon doré. Des boucles pendaient lourdement à ses oreilles et une ribambelle de bracelets garnissaient ses poignets. Ne manquait plus que son diadème pour lui conférer l'allure d'une reine... Une fée libérée de son égocentrisme, oh, là là, c'est de toute beauté à voir: ça ne serre plus les mâchoires, ça ne crache plus de grossièretés à son fils unique, ça sourit à ses ex-conjoints...

En guise d'hommage funèbre, j'aurais voulu embaucher un corps de clairons, des clowns et des majorettes, monter une kermesse dont les profits auraient été versés à ma caisse de retraite, organiser un pique-nique monstre au parc Jarry, un défilé de marionnettes, une procession aux flambeaux dans les rues du Plateau. Nos restrictions budgétaires nous ont fait opter pour un enterrement plus modeste. Je garde toutefois un souvenir impérissable de la seule célébration de mon enfance à ne pas avoir été minée par une imprévisible catastrophe, un *act of God*.

Sans menaces de vent, d'orage ou de grêle, le cimetière ressemblait à un paradis sur terre. Les cigales craquetaient dans les allées et les grives se régalaient à qui mieux mieux des vers fraîchement sortis du sol. Juchés sur leurs monuments de granit, des archanges de haut niveau et des angelots de troisième ordre nous saluaient au passage. Certains jouaient de la trompette. Les plus concupiscents nous tendaient une coupe de champagne...

Œillet rouge à la boutonnière, mon père ouvrait le cortège bras dessus, bras dessous avec Isabelle dont la tenue estivale laissait entrevoir des dessous affriolants. Revêtu de mon imperméable jaune moutarde, je les suivais comme un grand garçon d'honneur en portant, sur mon oreiller de combat, la boule de cristal devenue parfaitement opaque et la baguette magique en perte de fluide. N'eût été du noir corbillard devant moi, je me serais cru à un mariage d'aristocrates.

Le prêtre qui officiait la sépulture a enfilé une suite de formules conventionnelles qui se concluaient sur un retentissant amen. Mon grand-père a jeté la première pelletée de terre, la poitrine aussi gonflée que s'il procédait à l'ouverture d'un chantier devant mille caméras de télévision. Compte tenu de son inimitié pour son ex-bru, à sa place, j'aurais agi avec moins de panache.

Je ne tenais pas à me faire damer le pion par d'autres gros bonnets. Défiant ma grand-mère qui me faisait signe de me taire, j'ai prié l'univers de transmuer les cellules de ma mère en pépites de chocolat pour les affamés plutôt qu'en poussières d'or pour les propriétaires miniers.

J'ai clos ma prestation de façon spectaculaire. J'ai distribué à chacune des personnes présentes une paille ainsi qu'une mini-bouteille d'*Aqua Faïenca* parfumée aux huiles essentielles et enrichie de savon à vaisselle. À mon signal, le ciel de Côte-des-Neiges s'est couvert de centaines de bulles odoriférantes, roses, indigo, violettes, turquoise, orangées... Les bulles, c'est comme les mères. Les suicidaires éclatent d'un coup sec, les autres fusionnent doucement avec l'atmosphère. L'assistance était émue par de si merveilleux adieux.

Ma gitane a dû avoir la surprise de sa mort. J'ai enrubanné sa pierre tombale avec son foulard orange – comme un cadeau empoisonné – et tracé de mon petit doigt cette épitaphe-graffiti: «Ci-gît une femme qui s'est trompée de vie.»

LE TOURNANT DE MES CINQ ANS

Une fée des étoiles inconsistante 11
Un père Noël impuissant 17
Une trêve inespérée 22
Une fête des Rois qui tourne au vinaigre 27
Une famille atypique 32
Des Pâques mortelles 37
Un déménagement inévitable 42
Un document archéologique 47

CARNET D'UNE TRAVERSÉE 55

L'ÉPREUVE DE MES SIX ANS

Un trésor envahissant 79
Une rentrée incognito 86
Une fée engagée 90
Un Noël qui finit en queue de poisson 94
Un printemps étourdissant 99
Une crise existentielle 103
Des erreurs monumentales 109
De merveilleux adieux 113

Imprimé sous la supervision de

Gestion Impression inc.